何が世界を狂わせたか

高橋　彬

東京図書出版

はじめに

「彼（敵）を知り　己を知れば　百戦殆《あやう》からず」とは、よく知られている孫子の兵法の名言一句である。

二〇二〇年早々、新型コロナウイルスの大流行が始まった。日本は、欧米各国と異なり感染速度は鈍かったが、それでも発祥当初の二月三月、「これは戦争だ」「コロナとの闘いだ」とか「国難だ！」などの勇ましい掛け声が飛び交った。偉い人、要路にある人ほど、声高だった。さらには何を血迷ってか、「人類がコロナに打ち勝った証としての東京オリンピック・パラリンピック開催……」などと、辻褄の合わないフレーズも繰り返された。

しかしさすがに、時が経つにつれて、戦争云々で片づく問題ではないと気付いてか、そうした掛け声はあまり聞こえなくなった。だが見過ごしてばかりいられないのは、その慌てよう。仮にこれが戦争だとしたら、それに備えて、政府はどのように戦闘体制を整えようとしたのか。〝彼〟つまり新型コロナウイルスについては、まさに〝新型〟であるゆえに、すぐには正体が分からなかったとしても、やむを得ない。それは追い追いデータを集め分析し、把握していく以外にない。だが、〝己を知る〟の方はどうだろう。少なくともコロナウイルスが疫病であることには変わりない。とすると第一に取り組むべきは己の側の戦闘体制をどう敷くのか、であろう。端的には保健・医療体制がどうであるか、現状で十分かどうかの問題である。さらには全国民の不衛生な環境や不健康な生活の改善、そして貧困対策などに施策を講じ、社会全体の健全性をどう向上させるかが喫緊の課題となる。

ところがそうした点での議論が、ほとんどテーブルに載らなかった。盛んにテーブルに載ったのは、恰《あたか》も風に乗って吹き込んでくる埃《ほこり》を箒ででも打ち払うかのように、来る日も来る日も〝三密〟であり、三密でしかなかった。まさに、「彼を知り　己を知れば……」ではないが、己を知ろうとしない、否、己を知ることを避け、拒否する、これがこの間の各国のコロナ対策ではなかったのか。

これはどうしてか。理由がないわけではない。

特に日本の場合、この三十年あまりの間、予算節減と効率化推進の名のもとに保健・医療体制の大幅な縮小、弱体化が図られてきた。それは国の方針、政府の方針であった。したがって急に、コロナが攻め込んできたからといって、方針を転換するわけにもいかない。情勢に押されて、少しずつ、なし崩し的に転換することはあっても、真正面からこれを受け止めて、己を知ろうとすると、却って収まりがつかなくなる。なぜか。それは保健・医療体制弱体化の問題だけでは済まなくなるからである。現在の社会経済全体が、そして何よりも政治の在り方、その責任が問われることになるからである。

コロナ問題に世界七十八億人が目を奪われ、半ば思考停止に陥っていようとも、コロナ以外の急を要する深刻な危機が、ひたひたと迫っている。それは気候危機による大災害であり、巨大格差と貧困であり、食糧問題・水問題、戦争や内乱で居住地を奪われた難民の増大であり、全体としての地球環境破壊であり、そして何よりも〝人間破壊〟である。

人間破壊、それははっきりとは目に見えない。否、目に見えないように覆われている。

その一つが大量生産・大量消費・大量廃棄の社会である。政治に希望を失い政治に排除されて行き場のなくなった人間がここに逃げ込み、ここで満足し、ここで汚染される。汚染された人間が、今度はインターネット等情報の坩堝《るつぼ》で自分を見失おうとしている。そこでの合言葉は、もっと便利で高度な社会の構築。この言葉にくすぐられ、技術の大木を登りつめ下を振り返って見たら、大木の根に亀裂が走り、腐りかけていた、さてどうするか、慌てて降りようとしても皆が後からどんどん登ってくるので降りるに降りられない、というような悪夢も単なる夢ではないかもしれない。

もうこうなると、経済成長がどうの、米中対立がどうの、尖閣がどうのでは済まされなくなっている。なぜに人間は、否、世界は、かくも大きく狂ったのか。それは偶然か。否、偶然でも必然でもない。この百年の世界史に淵源がある。

それを知ることはややっこしく、面倒ではある。だがそれを知れば、新たな視界が開ける。誰もが政治に目覚め、行動するようになる。現代の行動原理が、そこにある。

何が世界を狂わせたか◇目次

第一章　コロナ対策が狂いっぱなしだった理由

◆ＡＩがお呼びでなかったことの意味

二〇二〇年、新型コロナウイルスの世界的大流行（パンデミック）。このコロナ禍により映し出されたもの、もしくは照らし出されたものが、いくつかある。その一つが、ＡＩ（人工知能）である。

何しろパンデミック直前まで、ＡＩは現代科学技術の頂点に位置するかのような、もてはやされぶりであった。ＡＩ研究者やＡＩ事業関係者等マニアからは、ＡＩがそう遠くない将来に、人間の頭脳を超える技術的特異点（シンギュラリティ）に達し、人間の手を離れて自律することもあり得る、夢ではない……などと、威勢がよかった。それはまさしく、向かうところ敵なしであった。にもかかわらず……である。そのＡＩたるや、新型コロナウイルス大流行というこの世界的危機にあって、どこからもお呼びがかからなかった。出番がなかった。

当然ではある。大量のデータ蓄積とその迅速処理を得意とするＡＩである。それが身上ではある。ところが肝心の新型コロナウイルスの正体がはっきりしない。そのデータがない。いうまでもなくデータを収集し提供するのは人間である。その人間が感染でやられている。ＡＩどころではなくなっている。

せめて、もしもＡＩが、この新型コロナウイルスの正体を見極めるべく四苦八苦している感染症の専門家に代わって活躍するというのであれば、もしくはそうした専門家の取り組みを助けるべく何かをなすことが出来るというのであれば、話は別であったろう。ことは万々歳であったかもしれない。だがそれは俗にいう「木に縁《よ》りて魚を求む」の類いでしかない。

はしなくも……というかこのことは、現代における科学技術と人間の関係の、もしくは現代文明そのものの、重大な思い違い、否、救いがたい逆立ち症状を衝くものとなっている。

大雑把ながらその点を、かいつまんで言えば、こうである。

ＡＩは元々、それまでのコンピュータ技術の、もしくはそれまでの社会の様々な知的業績を踏み台にし、それを前提として未来に大きく花を咲かせようとするものであった。〝ＡＩ（人工知能）命名〟の場となった一九五六年のダートマス会議。ここに集まった選りすぐりの研究者たちは、「人間のように思考するコンピュータ技術」の開発という夢のプロジェクト推進に、大きく胸を膨らませていた。その誘因・動機の中に、軍事的野望や名誉欲、征服欲的邪心が紛れ込んでいたかどうかは、ここでは問わないこととする。いずれにしても、それまでの人類社会の知的発展段階を踏み台にして、それを基盤として更なる飛躍を期そうとするものであった。しかしながら、今日生じている新型コロナウイルスの大流行は、以上のような前提となる基盤が、決して盤石なものでなく、むしろかなり脆弱なものであることを暴露している。

というのは、ＡＩが依拠せんとするこれまでの知的基盤が盤石であるためには、何よりも人間の自然を支配する力、中でも自然の一部たる人間自身の生命を、かなりの程度コントロールできるようでなければならない。だが、コロナウイルス侵入による生命の危機は、それが決して可能でないばかりか、むしろ無力でさえあることを示した。確かにコロナウイルスに対し、ある程度の防御や流行抑制はなし得るであろう。しかしそれはある程度までであって、完全にではない。

つまり、人間の足元が大きく揺らいでいる。その揺らいでいる足元はそのままにし、その上に構築されるAI技術は、そしてAIのみならず現代文明全体は、その根底において本来、大きな〝制約〟を有するものでなければならなかった。にもかかわらず、科せられている制約をものともせず、発展に次ぐ発展を、繁栄に次ぐ繁栄を重ねてきた。それがいつの日か、思いがけない復讐を呼び込むことになったとしても不思議でない。つまりここでは、人間がいかに「我が世の春」を謳歌しようとも、謳歌すればするほど危機は深まる。「砂上の楼閣」も絵空ごとでなくなる。

どうしてこのような勘違い、このような思い違いが支配する世の中になっているのか。

否、なぜにこのように逆立ちし、倒錯した構造に築き上げられてしまっているのか。これを歴史的にどう捉え、どう行動すべきか。

それこそが新型コロナウイルス大流行を機に省みなければならない、人類社会最大のテーマではある。

◆切り札が三密回避では、芸が無さ過ぎる

それにしても、この新型コロナウイルスをめぐる動きでは、国も社会も無策で知的輝きに乏しい。その思想に豊かさ、幅がない。それは自らを歴史的に反省する謙虚さ真剣さが、根底にないからである。

その最たる例を挙げるならばまず、このウイルスの感染拡大対策の柱が、何と〝三密〟だとされたことである。手洗いやマスク使用と併せて、「密閉、密集、密接」にならないように行動する、そういう点に気を配っての生活。それが当面の感染拡大阻止としてばか

りでなく、コロナ終息後の時代（アフターコロナ）の新しい生活様式の一つだとさえ定義（？）付けがなされている。

しかし考えてみるとこれは、否考えてみるまでもなくだが、文化文明が最高度に発達している現代社会が、世界的な危機に臨んで打ち出す施策の切り札としては、何とも幼稚で、稚拙極まりないというべきではないのか。たとえそれが、何百年も前からの感染症対策の常道であったにしても、である。

というのはもしこれが、ペストやマラリア、天然痘、コレラ、結核等が猛威を振るった一〇〇年以上も前の時代であれば、分からなくもない。だが、そうした数々の感染症流行をくぐり抜け、いろんなワクチンや治療薬も開発され、医療技術も格段の進歩を遂げている現代である。一九三三年には電子顕微鏡も開発され、それまでの光学顕微鏡では見られなかったウイルスの像を見ることが出来るようになった。あるいはまた一九八〇年代に入ってのＰＣＲ検査の開発。さらにいえば遺伝子組み換え技術や生命科学の展開。そうかと思うと他方では、核兵器や化学兵器製造から宇宙開発と宇宙軍事化。シェールガスなど地下何千メートルもの深度掘削。さらにはサイバー攻撃とかデジタル化云々ではないが、情報技術の物凄い進展。いわばこの世に何一つ不可能なことがないかのように、いろんなことに手を突っ込み、ありとあらゆる果実を貪《むさぼ》り尽くしているグローバル時代の、その現代においてなのである。

なのに、その現代社会に生きる人間が、自身が駆使する最先端の科学技術をもってしても、もしくは有している膨大な富をもってしても手も足も出ずに、ついには最も即物的で物理的な物差しで測っての生活様式を持ち出し、ひたすらそれに従うほかないという体たらく。なんともこれは皮肉というか、あまりにも知恵が無さ過ぎ・芸が無さ過ぎはしないか。

そもそも三密回避を迫られている現代社会そのものが、長い間、三密を力とし、三密を不可欠な構成要素として成り立ってきたのではないのか。したがって三密がよくないというのであればそれは、都市生活を中心としたこれまでの歴史の、これまでの社会構成全般の見直しにも繋がり兼ねないことになる。そこまで自分自身の在り方、もしくは歴史の在り方を問う覚悟があるのか。あろうはずがない。それがないから、他方では辻褄合わせをするが如く、三密を避ければ感染は防げるが、ウイルスは完全に撲滅出来るものではないから「ウィズコロナ」（ウイルスと一緒）が必要だなどと、妥協とも変節ともつかぬ言い回しで取り繕っている。もっとも、ではその「ウイルスとの共存」とは、どういう世界観と、どういう社会体制の下での、どのような生活様式によるものなのかを、せめてそのアウトラインだけでも示してくれればよいのだが、どうもそれには自信がなく、いや、関心もないようだ。

物事は何であれ、行き詰まったら元に戻る、困ったら基本に帰る、あるいは原理原則に照らしてみる……とは、よく言われることである。だから今回のパンデミックで、人類誕生以来、苦労に苦労を重ねてきている感染症との関わり合いの歴史を改めて省み、現代社会と現代世界が果たしてこれでよいのかと深刻に総括してみるのも悪いとは言わない。否、本当はそれが一番大事なことである。ぜひやるべきである。だが今日三密回避を感染対策の切り札として推奨する為政者や学者、更にはジャーナリスト等知識人の諸氏が、そこまで深く総合的に物事を考え、知恵を絞ろうとしているとは思えない。そこまで原理原則に照らして、社会のあるべき姿を総括しようとしているわけではない。はっきりしているのは、基本や原理原則とは無関係な条件反射であり、単にその場しのぎの応急対応をなしているに過ぎない。そのことで精一杯だということである。

つまり、新型コロナウイルス大流行の歴史的・社会的背景が何であるかを明らかにしようとせず、それに切り込もうとはしない。そうした背景なしには大流行などあり得ないはずの新型コロナウイルスであるのに、それをあたかも不可抗力的な自然現象であるかのようにどこかに押し遣っている。その上でこのコロナウイルスを、試験研究における一個の病原体観察でもなすかのように取り出して俎上《そじょう》に載せ、他方これまた社会的存在であるはずの人間の社会性を捨象して抽出された個々の人間、つまり単なるヒト（身体）を対置させ、その関係の中で感染がどのように起きているか、感染拡大を阻止するにはどうすべきかとして対策を講じようとしているということである。

確かに、すでに流行しているウイルスと人体との関係としては、それでいいかもしれない。その限りでは、当面の感染拡大阻止に一定の効果を上げるかもしれない。だがしかしこのウイルスの流行がどうして生じ、どうして阻止できないかの自然環境・社会環境の問題は何一つ明らかにされず、それにメスを入れることなく温存されることになる。仮に一時流行が収まったにしても、まさにそれは一時だけのことであって、何らその先を保証するものではないのに……である。

◆「社会的距離」とはヘンな距離

にもかかわらず、このような三密回避を柱にした感染対策に明け暮れているとなると、人間がコロナ流行の基盤を取り除くのではなく、単に流行しているコロナからいかに逃れるかだけになり、結果、個々人は限りなく社会から逃げ出さざるを得なくなる。差し当たりそこでは、仕事を失い、教育に恵まれず、遊びもならず、生きる張り合いをなくし、そして命をも失う。まさにこれこそが「緊急事態」なのではないか。

それにしても人間は頭がよい。誤魔化し方がうまい。この社会性剝奪につながりかねない生活様式導入についても、決してそれが社会性の否定につながるとは言わない。人間性の否定につながるなどとは言わない。何と言っているかというと「社会的距離」（ソーシャルディスタンス）だそうである。あるいは「新しい日常」（ニューノーマル）だそうである。職場であれ買いものであれ、人と人との距離を一・五メートルとか二メートル以上あける、学校等でも前後左右一つ以上席を空けて座る、更にはテレワークとかリモートやオンラインでの授業、会議。とにかく人と人との接触をなくすことを基本とする。

言葉とは都合のよいもので、社会的距離などと何度も繰り返し聞かされていると、あたかもそれが社会の本来の姿に則って出てきた規範ででもあるかのように思い込まされる。それを守らないことが反社会的で、モラルに反するかのようになる。ソーシャルディスタンスなる言い方は、なお一層そうである。これまで聞かされていなかった横文字・カナ文字が降ってくるのだから、それなりに高いレベルの文言なのだろうと受け止めざるを得なくなる。

そこで思い出すのは二〇一一年三月の東日本大震災直後に全国的に飛び交ったフレーズ。当時は、気遣い、思いやり、つながり、連帯、絆、自己犠牲、献身など社会的つながりを示す言葉が圧倒的であった。地震にしろ、津波にしろ、さらには福島第一原発事故による放射能汚染にしろ、人々にとっては外部から襲いかかってくる災難であった。そうであるだけに皆が励まし合い、結びつきを強め、協力し合ってこれを乗り切ろうとするは、ある種自然であった。もっともそうしたつながり方で、原発問題等本当に解決しなければならない災厄に切り込めるかとなると、それは別である。が、そういう限界はあるにしても、当座の立ち上がりや、被災者の士気高揚には役立った。

対して、ではこの度のコロナの場合はどうか。コロナウイルスも最初は外部からの侵入によるものではあった。しかしそれは知らぬ間のことであった。気付いた時にはすでに多くの人の身体に入り込み、人間を宿主として増殖し変異し、感染を拡大する構図になっていた。その限りにおいて人間の行動は、東日本大震災直後に見られたようなつながりや連帯、絆というよりも、むしろその反対にこれらを拒否する行動が強要され、推奨された。

つまりお互いに隣の人を警戒する、接触を拒否する、できるだけ離れる、外出を控え家の中に閉じこもる、などなど。

そうなると「一致結束し一体となってコロナ禍にうち勝とう！」などと政府が声高に呼びかけても、虚ろである。もちろん物理的に結びつかなくとも、精神的に、気持ちの上でつながることは可能である。それこそが本当の連帯であり、本当の協力なのだ、との強弁も通用しないわけではない。だがしかし、物理的に肉体的に離れることを強いられ、遠ざかっているなかで、精神的にはつながるといっても限度がある。誰にとっても肉体と精神は一体だからである。

それでもなお、身体は離れたところに置きながら精神的にはつながり、連携し、絆を強め、一体となって何かに取り組むというのであれば、そのギャップを埋めるに足る、強い何かが必要である。強い何かとは、いうなれば多くの人を引き付けるに足る情熱、高い志、もしくはコロナ禍以外でもいろいろと苦しんでいる多数の人たちを救うような普遍的価値のある行動である。もっといえば、少なくとも今日直面しているような感染症問題に振り回されなくても済む健全な社会をいかに構築していくかの行動。誰もがもっと健康で豊かな生活ができるような社会づくり・世界づくりへの取り組み。そのための改革の運動を組織し、それに参加することである。みなが一緒になって、いろんな障害を取り除く改革に立ち上がることである。

　ところが現実には、これまでの社会の在り方・世界の在り方に手を触れるような議論は少しもなされず、ただひたすら、感染を防ぐには人と接触せず人と離れる、不要不急の外出を控える、仕事も学校も幼稚園や保育園も休みにする、である。かくして「ステイホーム」なる粋な言葉が皆を煙に巻くこととなったが、どのように言いくるめようと、実体は「逃げる」「隠れる」のお奨めでしかない。確かに、逃げて隠れて、嵐（大流行）の過ぎ去るのを待つというのも、一つの戦法ではあろう。「逃げるが勝ち」という言葉だってある。だが逃げるだけでは、嵐の過ぎ去った後の片付けが惨憺に過ぎる。それに嵐の過ぎ去るのがいつなのか、経験値的に分かっている訳でもない。

　そこで今後この、いつか終わるだろう長い「逃亡生活」を振り返り、人間は、社会は、果たして何を得たか、何を得るべきかの教訓化が問われ、議論される。多分各界の識者は、いろいろと得たものが多いとか、貴重な経験であったとかと針小棒大にあげつらい、こじつけをするであろう。それはすでに始まり、賑やかになっている。

もちろん、一つや二つは、実際に役立つ収穫があるかもしれない。だが、基本的に、本当の意味でこれからの世の中に役立てられるものは何一つない。なぜか。それは、人間がそれなりの志を抱き、何かを実現すべく動いた結果のことであればまだしも、そうではなかったからである。にもかかわらず、動きもせずに、つまり逃げるのが精一杯であったのに、それで得たものが多いとか、今後に生かすものがあるなどと語るは言語道断。人間を、そして歴史を愚弄するも甚だしい。それは必ずや、再々度社会を誤れる方向へと追いやり、取り返しがつかないようにするであろう。

◆ウェブへの過度な依存が人間劣化を招来

その兆候はすでにあらわれている。新型コロナウイルスの感染拡大防止対策を踏まえて進められている「新しい日常」（ニューノーマル）構築への取り組みである。三密回避を基本とすることが社会性剝奪に通じかねないことについては前述したが、この三密回避の代替として推奨されているのが、テレワークやオンライン（遠隔操作）での授業や会議、つまりインターネット依存の一層の増加である。さらにはデジタル行政である。しかしこれが実は、このまま進められるならば、人間の社会性剝奪どころか、人間そのものの劣化をも招来し兼ねない危険をはらんでいる。

確かに便利である。効率的であるかもしれない。ギュウギュウ詰めの電車通勤から解放され、時間に余裕が生まれるばかりでなく、時間の使い方、作業の仕方もかなりの程度個人の裁量に委ねられるなど、よい点があるにはある。したがって、その利用如何によっては多くのメリットがあるといえるかもしれない。政府・財界、そして会社経営者や教育関係者が煽り、さらには若者等が一斉に飛びつくのも分からなくもない。

　だがしかし、人は無駄なく、したがって効率よく、メリットが大きければそれでよいといえるのかどうか。そもそも一体、何を基準にしての無駄とか効率なのか、もしくはメリットなのか。無駄も経験のうち、一見無駄と思えるものでも役に立つことがあるという意味で〝無駄方便〟という言葉さえある。人間が、社会が、極限まで効率性やメリットを追い求める、しかしながらその人間、その社会は、果たしてどこまで、人間存在それ自体の総合性、人間にとっての真に価値ある効率性とは何かを弁え、社会全体にとっての真のメリットとは何かを弁えて、すなわちそうした見識もしくはパースペクティブ（見取り図、展望）を有した上でなしているのか。むしろ単なる「無駄な経験」（？）は不要との思い込み、長い間の慣行とそこでの価値観、更には先を急ごうとする衝動ゆえの効率、メリットなのではないのか。

　最近の例でいうならば、二〇二〇年三月、新型コロナウイルス流行で小中学校等が一斉休校になり、そのなかでオンラインによる授業がずいぶんと取り入れられた。生徒たちの感染防止が第一義とされたなかでの代替措置として、これはこれでやむを得ないといえるかもしれない。また実際に携わった教師や生徒からは、思ったよりもうまくゆき、有意義であったなどの感想も出されている。とはいえども、オンラインは飽くまで代替であり、急場しのぎのものであって、本来形態ではない。教室にみんなが集まって実施される授業に取って替わるべきものではないということである。

というのは、何が問題かというと、オンラインで使われる映像は飽くまで人為的恣意的に加工され切り取られたものと見るべきであって、現実そのものではないからである。もっと分かりやすく言えば、顔は映し出されてやりとりされるが、映し出されている顔の表情だけでは、心の動きや感情等が鮮明に伝えられるとは限らない。加えて、それ以上に重要なのは、やりとりしている人間の存在場所、言い換えれば背景（周辺環境）は映し出されず、省略されていることである。背景は背景でしかないといわれるかもしれない。しかし現実の人間の存在は周辺環境をも含めてであり、背景なしには存在し得ない。つまり、背景との関連でその人間の精神状態、感性、そして表情等がそのようにあるのであり、背景を欠くということは環境を省略することにもなり、その人の全容表出にはならないからである。

卑近な例でいえば、記憶は、当人にとってその場所と不可分にあることを示すケースが幾つかある。たとえば人間年を取るにつれて物忘れがひどくなるが、ある人が住まいの二階からモノを取りに一階に下りたところ、下りた途端に自分は何を取りにきたのかが分からなくなる、しかしもう一度二階に上がり元の場所に戻ると思い出せたというようなことが多くある。どうしてそういうことがあり得るのか。これは当人が意識するとしないとにかかわらず、二階という場所に身を置き、それなりの所作をしていたがゆえに思い付き、考え付いたことだったからである。いうなれば場所という要因が大きいことを意味する。つまり人間は常に、存在している場所とそこでの所作、あるいは存在している環境とそこでの所作と一体だということを示している。存在している環境にとって、背景の有無は重要であり、それは自分の存在にとって不可欠な構成要素である。

そうであるゆえに、人間が背景から切り離された形でやりとりをなすということは、授業等はもちろんテレワークにおいてさえも、人為的に加工された、現実そのものとはいえない、現実の中から抽出され切り取られた、その一部でもって成り立つ世界で動いているのだということを弁えておく必要がある。それは環境の一定部分が損なわれているという点で臨場感に欠けるものがあり、整合性やダイナミズム、バランス感覚、感情や精神の豊かさ、想像力等に歪みを生じさせる。つまり、ウェブ上に出されているのは多かれ少なかれバーチャルであり、仮想された現実だからである。生《なま》ではない。このような仮想現実への接続、没入が常態化すると今度は、現実を自分の都合に合わせて捉え、自分の都合に合わせて判断する傾向を生じさせる。狭窄視野的主観依存主義の跋扈である。かくして人間形成の土壌が正常でなくなり、貧しいものとなる。当然、そこで育つ人々の感性は豊かでなくなり、思考力や想像力の形成にも欠陥をもたらす。

しかもそれが、いろんな点で成長期にある少年少女等の場合においては影響が大きく、深刻な問題である。そうでなくとも、過度なスマホ依存やゲーム依存症が心配されている昨今である。

◆三密が柱では、行き詰まるのは当然

三密回避を柱とする国の新型コロナウイルス対策の問題点についてはすでに触れたが、いまそれが再々度の感染拡大の中で、大きなジレンマに直面している。右にすべきか、左にすべきか、その何れも必要だが、何れを選ぶことも叶わないという板挟み。そもそもこれは、何に起因するものなのか。

三密回避を対策の柱とする方針の論拠は、それによって人から人へのウイルス感染が遮断され、かくしてウイルスは死滅し、流行は収まるだろうとの推測に基づくものであった。とはいえども、ではそれはいつ頃達成されるのか、どのくらい先においてのことなのかとなると、誰にも分からない。疫学専門の医師や学者でも自信をもって答えられない。

その理由は、国民一人残らず全員を検査して、しかも一度ならず二度も三度も検査して陽性か陰性かが把握し切れるならまだしも、そこまでは出来ないからである。仮にそれが出来たにしても、入院による治療や隔離その他の処置が、これまた完全にカバーできるも

のでないことも明らかだからである。さらにもう一つ大きな理由は、この新型コロナウイルスが今後どう変異するか・しないのか、その特質、正体がよく分からない、いまだ捉え切れていないことによる。

したがってあと残る頼みの綱は、三密回避を徹底すればいずれ近いうちに感染は収まるだろうという希望的観測、その願望だけということになる。

もっともそれでも、三密回避徹底のための行動制限、すなわち会社や事業所、学校等の休業・休校、各種イベントの取り止めなど、これらの社会活動を無制限無期限に停止し続けることが可能であるならば、話は別かもしれない。半永久的なロックダウンである。だがそれは小説の世界では有り得ても、実際には有り得ないことである。だとすれば、三密回避の徹底で感染が収まるには、どれくらいの期間、どれくらいの年月が必要か。そのために人々が動かず、経済活動その他いろんな社会活動が止まることによって生ずる困難や生命危機は、どの辺までなら我慢ができ耐えられるのか。そうしたことの相関関係に関するシミュレーションのようなものがあれば、少しは違うかもしれない。それを目安にまた別の策をめぐらすことが出来るかもしれない。しかしそうしたシミュレーションも、そのための基礎データがないなかでは、作成できるはずがない。

かくしてこのことは、三密回避を柱とする対策がいかにも手堅い方策のように思われているが、事実は決してそうではないことを物語っている。むしろそれは、かなり不安定で、不確実な想定（願望）の上に成り立つものでしかないということを白状している。

であるからこそ世論は、そして政権は、感染発祥から半年も経った二〇二〇年七月、一旦解除した緊急事態宣言を再び発出して経済活動を抑制するのか、いや今更それはできない、だが、そうでもしなければ感染は拡大するばかり、とはいってもこれ以上経済を止めるわけにはいかない、ではどうする？　と、動きの取れないジレンマに陥っているのである。しかもそれが、七、八月の第二波だけでは済まなかった。

むしろその後、十一月、十二月に入っての第三波。これは第一波、第二波をはるかに上回る感染拡大で、医療逼迫も著しいものであった。かくして翌二〇二一年一月七日、首都圏四都県に一月八日から二月七日までを期限とする緊急事態宣言を発令。何しろ一月九日には、全国の新規感染者数が七八五五人と過去最多を更新した。そこで一月十三日になって、一月十四日より緊急事態宣言に七府県を追加し、十一都府県に拡大。にもかかわらず感染は収まらず、結局二月二日に栃木県を除く十都府県については三月七日まで延長とすることとした。それでも収まらず、首都圏四都県については三月二十一日まで再々度の延長。

だが三月二十一日が過ぎても感染は収まらず、むしろ第四波に向かってのリバウンド。とはいっても、それ以上緊急事態宣言を続けることには抵抗が強く、そこで医療体制逼迫が改善傾向にあることを理由に宣言解除した。ところが解除した途端に再々度感染が急拡大。そこで今度は、四月二十五日を期して三度目の緊急事態宣言となった。他方、切り札とされるワクチン接種は、当初の予定から入手が大幅に遅れ、感染拡大を抑えるものにはなり得ていない。

かくしてでは、この混迷の谷間からいかに脱け出すことができるか、それにはどういう選択肢があるか。答えは、直接的な感染者数の推移に一喜一憂するのではなく、コロナ終息には多少の時間がかかろうとも、大事なのはオーソドックスな対応、最も抜本的で基本的な事柄を重視する取り組み、それ以外にないということである。

◆「健全な社会」構築こそが真の対策

つまり、現実の直視である。以上のような混迷を招いている原因、誤りがどこにあるかをはっきりとさせ、国民全体がそれと向き合うことである。向き合うことによって、これまで見過ごされてきた問題の改革・改善に少しでも役立つように行動することである。

その改革・改善とは何かだが、差しあたっては、保健・医療体制の充実・強化である。一義的にはそれは国の役割、政府の責任である。したがって政府がそれを最大の柱として、政策の前面に掲げて推進するようにみなが政府に働きかけることである。もちろんその政策に、検査体制の充実、予防薬（ワクチン）や治療薬の確保が含まれるのは、当然である。そして第二は、健全な社会構築に向けての国民的な取り組み。否、多くの住民による自主的な活動。すなわち、社会全体から貧困を無くし格差を是正、不衛生や生活の乱れを克服、過労その他のストレスを少なくし、人々が健康で安定的な生活が送れるよう、出来る限りの手段を講ずる。生態系の撹乱や異常気象による災害防止のためにも、地球温暖化を阻止する取り組みを推進する。そうした取り組みを国の政策として、さらには住民の闘いとして展開することである。いずれも言うは易く行うは難《かた》しだが、しかしそれ以外にない。なぜならば、新型コロナウイルスの流行そのものが、そうした人間社会の暴走や乱れに起因して生じているものだからである。

新型コロナウイルスの正体については、それが次々と変異株に取って代わられるなど、医学的にも未だ分からない部分が多い。しかし病気一般がそうであるように、不健康を余儀なくされている人ほど罹りやすいは確かである。健康であれば、仮に感染しても免疫で克服でき、あるいは軽症で済まされる。高齢者や基礎疾患を有している人ほど重症化し易いということが、逆の意味でそれを証明している。国際的にもアメリカやブラジル、インドなどに見られるように、貧民街など劣悪な環境下にある地区ほど感染拡大が激しく、かつ死亡者も多くなっている。

そうした点からするとき、政府はたとえば当初、一人一律十万円給付とか、休業事業者への持続化給付金とか、そのための業務委託の不正疑惑などで混乱したが、これらは感染対策の一環とはいえ、全くの弥縫策に過ぎない。

本来であればこうしたことの前に、健全な社会構築に向け、政府がいろんな取り組みをなすのが筋というべきである。民間では児童食堂とか貧困サポートとか、様々な支援活動、ボランティアの活動がなされている。それらを積極的に支援する政策を打ち出すのもいいであろうし、何よりも社会保障体制全般の拡充に向けて知恵を絞り、重点的に予算措置を講ずることである。

それと、保健・医療体制の充実・強化は、感染対策の柱中の柱であることを明確にして対応すべきである。二〇二〇年一月に国内初の新型コロナウイルス感染者が発見されて以降、ＰＣＲ検査（遺伝子検査）をどう拡充するのかを始め、全てが後手に回り、追われっぱなしであった。なかでも、ウイルス感染患者専用病棟・病床の確保、軽症者や無症状陽性者の隔離施設、医師・検査技師・看護師等医療従事者の人員不足への対応、同じく様々な医療器具や備品の不足など問題は山積みであった。そうした逼迫せる医療崩壊的危機の中で、現場の人たちは身を粉にして何とか崩壊を防いできた。

にもかかわらず、こうした現状を受け止め、短期ばかりでなく中・長期的な対策をも視野に入れた、本格的な医療体制の充実強化に乗り出すべきであるのに、それが全然なされていない。

ちなみに、このコロナ対策関係の令和2年度補正予算で見ても、二〇二〇年四月三十日成立の第一次では、一般会計総額25兆5655億円のうち医療体制の整備の項目が、その7％強の1兆8097億円でしかない。しかもこのうちの1兆円はコロナ感染症対応地方創生臨時交付金とされ、それを除けば実質的な医療支援額は7～8千億円に過ぎない。他方、悪評高い〝Go To〟キャンペーンには1兆6794億円も配分しているのに、である。では六月十二日成立の二次補正ではどうかといえば、同じく新型コロナウイルス対策関係費総額31兆8171億円と巨額ながら、医療体制等の強化という項目での計上がその9・4%足らずの2兆9892億円。現場から切実に要求されている病床確保や医療機器・備品不足等に、その場しのぎで応えようとしているだけである。

とにかく以上のような予算措置一つとってみても、政府のコロナウイルス対策が全く常道ではないことが分かろうというものである。

関連していえば、保健・医療体制充実の重要性は、コロナ禍問題だけに限られたことではない。というのはたとえば、厚労省の人口動態調査によれば、日本の年間死者数は二〇〇三年に一〇〇万人を超え、それより以降増加の一途である。二〇一九年には一年間で一三八万一〇九三人が死亡している。死因別では、悪性新生物（腫瘍）が最も多く三十七万六四二五人、心疾患（高血圧性を除く）が二十万七七一四人、そのあと老衰十二万一八六三人、脳血管疾患十万六五五二人と続き、肺炎が五番目で九万五五一八人である。

ちなみに、新型コロナウイルス感染による死者数は、前年一月の発生から二〇二一年四月二十六日までの約一年四カ月間で一万人を超えたところである。

つまり、これらの事柄が何を意味するかというならば、医療の役割はコロナに限らずいろんな病気、健康維持に関わるもので、社会全体を支える最も重要な公共資本であり、基盤施設だということである。ところが、コロナ禍発生で多くの病院・診療所等が、それまでの入院患者を転院させ、外来を制限。一般の診察や救急患者をも断らざるを得なくなっている。つまり、新型コロナウイルス対応に振り回されっぱなしである。コロナ対策で病院等は、支出は増えるが収入は激減し、倒産の危機に喘いでいる。

そこではたとえば報道されたように、日本女子医大病院では当初、二〇二〇年の夏季ボーナス支給がゼロと発表され、ために約四〇〇名の看護師が退職の動きにでるなど、一時騒然であった。しかしこのようなことは何も日本女子医大に限ったことではなく、全国の大学病院や全国の病院・医院、診療所等が共通して直面している問題なのである。

◆最大のガンはこれまでの国の医療行政に

考えてみると、現在の政府に保健・医療体制の充実等を期待するのは、元々無理な相談ということかもしれない。何しろ効率化の名のもと、保健所を統廃合し、病院・病床を削減し、医師の数を抑制して医療体制そのものの弱体化を図ってきたのが、ほかならぬこの間の政府であったからである。それは、一九八〇年代以降、日本のみならず世界的な潮流としての、いわゆる「新自由主義」主導の社会政策でもあった。

この点については、多くの医療関係者等から指摘されているところであるが、なかでもつまびらかなのは、伊藤周平鹿児島大教授の「可視化された医療崩壊」（雑誌『世界』〈二〇二〇年七月号〉）。それによるとたとえば、一九九六年には全国で九七一六床あった感染症病床が、二〇一九年には一七五八床に削減された。また、全国の病床数も一九九三年から二〇一八年までの四半世紀で三十万五〇〇〇床削減。さらに重症患者のための集中治療室（ICU）も、二〇一三年の二八八九床から二〇一九年には二四四五床へと減少している。

中でも大きいのは安倍政権時代の二〇一四年、医療法が改正されて病床機能報告制度が創設され、いうなれば削減政策が制度化されたことである。つまり、病床機能報告制度に基づき、各病院・有床診療所はそれぞれが有している病床の医療機能（高度急性期、急性期、回復期、慢性期）を都道府県知事に報告し、都道府県はその報告内容を受けて「必要病床数」を算出した地域医療構想を策定するという仕組みが導入された。これにより、看護師配置の手厚い（つまり診療報酬が高い）高度急性期の病床を他の機能の病床に転換させ、過剰と判断された病床開設は認めないなど計画的に削減。入院患者を病院から在宅医療へ、さらに介護保険施設へと誘導。急性期病床の削減により、病院看護師の需要数は現状より大幅に少ない人員で足りるとされ、医師についても、病院を再編し医療体制を集約化することで増やさない方針。

ちなみに、日本の医師数は、人口千人当たりで二・四三人。これはＯＥＣＤ加盟国中データのある二十九カ国のうちで二十六位。医師の総数で見ても、同加盟国の平均四十四万人に対し日本は約三十二万人で、不足が顕著である。

併せて、感染症対策を担う保健所の数、並びに保健師についても削減されてきた。とくに一九九四年に保健所法が地域保健法に改められ、担当地域が広がり、統廃合された。その結果、一九九二年に八五二カ所あった保健所数が二〇二〇年には四六九カ所へと激減している。大阪市や横浜市、名古屋市、北九州市などの政令指定都市では、各区に一カ所ずつあった保健所が市全体で一カ所となった。

かくして伊藤教授は、「今回の感染拡大は、以上のような日本の医療政策がもたらした医療体制・公衆衛生の脆弱さを可視化した。これに安倍政権の失策が重なり、医療崩壊が現実化している。」と危機感を募らせる。

なお付け加えるならば、この期間の保健所数削減については、二〇一二年から二〇二〇年六月まで四期にわたり日本医師会の会長を務めた横倉義武氏も、それがコロナ対策混乱の大きな要因になっていると明言。二〇二〇年五月二十七日『毎日新聞』（夕刊）のインタビュー記事で、「バブル崩壊後の行政改革で保健所は半分近くに減少しました。職員数も減り、保健所の皆さんは今回、大変苦労されている。削減し過ぎはよくなかった。」と、反省の弁である。

だが、真に反省するというのであれば、たとえば保健師、医師、看護師、検査技師等医療関係人材の確保に向けた長期的養成計画を取りまとめるなどして、政府に提言するぐらいでなければならないのではないか。それは、現在の新型コロナウイルス対策として間に合うかどうかではない。コロナウイルス対策の苦い経験を教訓としての、将来起こり得る新たな感染症への備えとしても必要だからである。

第二章　感染症と〝政治〟

◆感染症と政治の深い関係

感染症と国の政治は極めて深い関係にある。

その理由は第一に、感染症は人々にとって日常抱えている問題ではなく、どちらかというと突如として襲ってくる、つまり非日常的な出来事だからである。ほとんどの人は普段、感染症を意識して生活しているわけではない。それは思いがけない時に起こり、そして誰彼を問わず一斉に広がっていく。国が、あるいは社会が、万一に備えて一定の体制を整えていたにしても、それで十分対応出来るということは、まずない。誰彼を問わず全員が危険に晒されるものであるから、全員を対象とした対策が必要になる。個々人がどう動くかも重要だが、まずは全員をカバーする対策が講じられなければならない。つまり公的機関が乗り出さなければならない。ロックダウン（都市封鎖）や外出規制はもちろんそうだし、検査や入院施設の手配もそうだし、ワクチンや治療薬の開発・提供もそうである。具体的には国が、そして政府がその役割を果たさなければならない。まさに「鼎《かなえ》の軽重」（世間で言われているほど能力や価値があるかどうか）を問われるのは時の政府なのである。

しかしながら、逆に言えばそれだけ権力が時の政府に集中する。コロナ禍をチャンスとばかりに独裁体制強化に走り、醜態を晒している政権も、世界には少なからず、である。いずれにしても、他の災害と違って感染症の場合は、国民全体が自粛ムードに覆われることから、公然たる反権力闘争とか反政府闘争などは姿を消す。その点ではむしろ反戦闘争などの方が、弾圧は苛烈であったにしても、街頭デモなどでねり歩き反対を叫ぶことが出来、より多く自由に動けたといえる。まさに感染症と政治との特異な関係がここにある。

が、感染症が政治と深い関係にあるもう一つの理由は、これまで国が、政府が、感染症の発祥に対してどんな備えをしてきたのかが問われるからである。つまり、どのような種類の感染症に見舞われようとも、最低限の、一定程度の医療体制や社会保障体制が整備されているかどうか、である。その点では特に前章で触れたように、一九八〇年代以降日本は、効率化の名のもと医療費を抑制すべく、その充実よりもその弱体化を進めてきた。全国の保健所数は統廃合で約半数にされ、病院も再編・集約化の名目で整理。必然的に医師や看護師の数も制限されてきた。感染症病床としての陰圧隔離病床は一九九六年の九七一六床から二〇一九年には、なんとその五分の一以下の一七五八床へと減らされた。重症患者のための集中治療室（ＩＣＵ）でさえも、二〇一三年に二八八九床あったものが、二〇一九年には二四四五床に減少している。ちなみにこの七年間は安倍政権の時期に当たる。

このことは、たとえこの数十年間の日本経済があまりよくなく、財政事情が厳しかったにせよ、世界的にも感染症は多発しており、その上に高齢化社会突入は必至で、医療機関へのニーズは高まるばかりであった。それが分からないはずがないのに、かかる弱体化が図られたとは正気の沙汰でない。したがって、コロナウイルス対策で第一番に問われるのは、政府の責任、国の責任である。それは、流行してから後の対策がどうであるかばかりでなく、これまでの数十年、社会全体の劣化につながりかねない保健・医療体制の弱体化を、なぜに進めてきたのかが問われる。つまり、全体的な政治の在り方が問題にされることになる。

が、それだけではない。感染症と政治の関係でもう一つ重要なのは、感染症の発祥を活発化させるような温床・土壌を生み出している現行の経済活動・社会活動全般について、政府はこれを正しく制御し改革してきたのかどうかである。事実はむしろ、制御し改革するのではなく、感染症発祥の温床・土壌を生み出すような経済活動をせっせと後押ししてきた。

後述するように感染症の拡大は、地球温暖化による気候危機と深い関係にある。熱帯雨林をはじめ各地での森林伐採や様々な資源の乱掘、それによる生物多様性の喪失等地球規模での環境破壊・環境汚染による点が大である。仁義(?)なき市場競争、無秩序な過密都市の形成、様々な化学物質の生産、多剤耐性菌被害で知られるように大量の薬剤提供慣習。これらのことは個々の人間や個々の企業の問題というよりも、まずは各国政府が経済・社会制度全般の有り様について正すべき性質のものである。

しかしながら現代においては、それが全くなされないどころか、政府によって頑強に守られ維持されている。したがってこうした状況を変えるには、感染症問題をきっかけとしつつもそれを超えた、感染症対策にとどまらない広範な、そして大きな改革を必要とする。改革を阻む壁はまさに、現行体制の上に位置してこれを守らんとする政府にあり、その政治にある。それに利益を見出している支配階級にある。もちろん日本のみならず世界各国が、概ねそうである。

◆「スペイン風邪が大戦終結を早めた」の悪いウソ

感染症と政治との深い関係を示す事例は枚挙に暇がないが、その関係を巧妙にオーソライズし、政治に責任がないかのように切り離しているのも一つの特徴であり、検証すべき点である。

新型コロナウイルスが流行し出した当初、これまでの感染症に関する話題がいろいろと紹介されていた。その一つが百年前に大流行したスペイン風邪。この感染症も新型インフルエンザ（A型）の流行によるもので、最初の発症は一九一八年三月、米国カンザス州のファンストン基地で現れた。米国はその前年、第一次世界大戦（一九一四年七月～一九一八年十一月）に参戦していたので、感染は米国国内だけではなく、ウイルスが兵士と共に艦船に乗ってヨーロッパ戦線に運ばれ、交戦等を通じて世界各国に拡大した。

石弘之著『感染症の世界史』（角川ソフィア文庫）によれば、当時の世界総人口は約十八億人（現在の四分の一弱）だが、少なくともその三分の一もしくは半数が感染したという。死亡率が極めて高く、地域によっては感染者の一〇～二〇％が死亡。世界人口の三～五％（五四〇〇万から九〇〇〇万人、概ね八〇〇〇万人）が死亡したと推定される（同書218頁）。

日本での本格的な流行は一九一八年の十月ごろからであった。ヨーロッパ戦線で流行して毒性の強まったウイルスが上陸したと見られる。それも一九一九年七月には一旦下火になったが、再び十月ごろから感染が拡大し、一九二一年まで流行。最終的に国内の感染者数は二三〇〇万人を超え、死者数は三八万六〇〇〇人。なお当時の日本の人口は五六六六万人（以上、同書216〜217頁）。

ちなみに、この疾病がスペイン風邪と称されるようになった経緯は、戦争に中立であったスペインがいち早く自国の感染状況を発表したことによるもので、スペインを震源とする疾病であったわけではない。

が、それはともかくとして見過ごせないのは、後年、このスペイン風邪が第一次世界大戦終結を早めた要因であるかのように言われたりしていることである。そうすることによって感染症の歴史的影響力の大きさを強調しようというのであろうが、しかし結果的に戦争のもつ残虐性、苛烈さ、そして愚劣さ等が帳消しにされ、感染症といえども悪いことばかりではないかのように解説されている。しかしそれはいくら何でも筋違いであり、間違いである。

確かにスペイン風邪が、その後の戦況にかなりの影響を与えたことは間違いないだろう。

だがそれをいうなら、影響力の大小は別として、各種天変地異を始め関係する出来事は何でも影響する。しかしそのようなことで交戦国の政府や戦争指揮官が戦争継続を断念し、講和に踏み切るかどうかは別である。

実際に一九一八年十一月の講和は、頑強に戦争を継続しようとするドイツ太平洋艦隊の出撃に反対するドイツ兵士らの革命的阻止行動が発端であった。当局の弾圧に抗議してキール軍港等で兵士が蜂起し、兵士評議会が結成された。そして運動は、戦争反対、軍事体制打倒、皇帝退位の要求へと発展し、陸軍兵士をも巻き込み、キールから北ドイツ、西ドイツ各市へと拡大。ついには首都ベルリンに迫った。当然ながら、労働者大衆や多くの市民、独立社会民主党や社会民主党、労働組合も加わって各都市で蜂起し、遂に十一月六日、時のマックス宰相は皇帝の返答を待たずに皇帝退位を発表して辞職。かくして無血革命で人民委員政府が誕生し、その政府のもとで米・英・仏・日本等の連合国（協商国）側と講和交渉に入り、戦争終結となったのである。

まさにその前年の一九一七年十一月のロシア革命（十月革命）で樹立されたロシア革命

政府（後のソ連政府）が、直ちに戦争終結のための講和を提唱しつつも、味方側（英・仏・米等連合国側）・敵側（ドイツ・オーストリア等同盟国側）の双方が共にこれを拒否し、ロシア革命政府は単独で屈辱的なブレスト・リトフスク講和条約を一九一八年三月にドイツとの間で結んで戦争から撤退したのである。しかしその折の唯一の希望は、ドイツの労働者や兵士が間もなく戦争反対へ決起してドイツ革命を成功させ、戦争を止めさせるだろうという願いのもと、講和条約締結をギリギリまで引き延ばすことであった。しかしそれが皮肉にも、そのドイツ革命はブレスト・リトフスク講和には間に合わず、その半年後となったことである。

いずれにしてもそうした経緯はあるものの、第一次世界大戦の終結は、ドイツ国民の、なかんずく兵士や労働者大衆等被抑圧大衆の戦争反対、帝政支配打倒、資本主義反対に向けた強い意思、それによっての英雄的な闘争が決定的要因としてあったのである。たとえスペイン風邪大流行が影響したにしても、この反戦闘争なくして終戦は勝ち取れなかったということである。これは当時のドイツ国民の名誉のためにも、さらには世界の反戦闘争の名誉のためにも、はっきりしておかなければならない厳然たる事実である。

むしろ感染症と戦争との関係でいえば、戦争こそがある面で感染症蔓延の温床であり土壌だということであろう。日常的な兵士の兵営での生活や過酷な演習に始まり、戦陣での非人間的な起居。特に当時であれば、モグラさながらの塹壕戦も多かった。これらは、ウイルスや細菌の繁殖にとっては絶好の環境。未確認ではあるが、部隊によっては戦死者の六〜七割が、実際の戦闘によってではなく疾病や飢餓、さらには隊内でのいじめ等が原因で死亡したとの証言も数多くある。

ちなみに第二次世界大戦前夜の日本は、食糧事情が極端に悪いため栄養不足による病弱者が多く、なかでも結核が広く流行していた。したがって、戦地においても多くの兵士が病死、餓死によって倒れる始末であった。それは〝名誉の戦死〟と呼ぶには、あまりにも残酷非道なものであった。

一般的に言ってスペイン風邪に限らず、確かに戦場によっては、病人続出ゆえに負け戦となるところが多いかもしれない。だからと言ってそのために、つまり感染症拡大が理由で国や政府が戦争終結を早めたなど、断じてない。戦争を遂行する時の政府、権力者にとって、戦争とは勝つか敗けるかであり、兵士や一般国民が病死するかしないかなどは、二の次三の次なのである。

そうであるのになぜに、後年の学者や評論家は、あたかも感染症の大流行が歴史を大きく動かしたプラス要因となることがあるかのようにコメントするのか。これは、感染症に対する国民一般の恐怖を宥めるためにか。それとも、戦争反対で大きく燃え上がった被抑圧大衆の運動の役割を、歴史から消し去りたいがためにか。

◆怖いのはむしろ「政治感染症」かも

感染症の歴史を扱った専門書で、さらに気になる点が幾つかある。それは何かといえば、感染症に関わる調査・研究が非常に優れた著作であるにもかかわらず、それに比して、では人類社会はどうすべきか、国や政府はいかに行動すべきかの問題にストーリーが進んだ途端、これら専門家の歯切れが非常に悪くなることである。そして最後は、なんとなく宿命的な、もしくは人は謙虚であるべきだなどと、各人の心掛けに訴えるセリフで締めくくられることである。

感染症の研究従事者は、いうまでもなく医学・疫学、生命科学等の専門家たちである。中には小説家やジャーナリスト、社会科学者、あるいは生物学など自然科学全般に精通の人たちもいないわけではない。しかし圧倒的には医療関係の科学者で占められている。したがって社会的な役割分担という点からすれば、政治・経済や社会科学に絡む問題は、医療関係の学者にとっては限定的であり、それは他の当該分野の人たちがなすべき仕事だということになるのかもしれない。

確かに建前上はそうである。形式的にはそれで間違いない。だが、そうであるとするならば、自らの研究によって導き出されている課題について、たとえば経済上の、もしくは社会制度に絡む改革を必要とする事柄に辿り着いたとするならば、はっきりとそれぞれの専門分野の人たちにそのためのバトンを渡すようでなければならない。ところがバトンを渡す前に、そのバトンを受け取る人が見当たらない。仮にバトンを誰かに渡そうとしても受け取らないだろうという諦念が頭をもたげる。言い換えれば、何らかの経済的な、もしくは制度的な改革が必要だと提言したにしても、そんなことは受け入れられない、無理なこととして拒否されるだろうと自分で先に答えを出してしまう。それは、早合点というよりも、それをなす政治への失望・絶望の念が根底にあるからである。もしくは政治に触れることの恐れである。経験的に、やる前から、それらのことが分かっているからである。

つまり、専門家自らの研究では、ウイルスや細菌等様々な病原体の侵入による流行は、後先のことをよく考えない手前勝手な自然破壊や不衛生な過密都市環境、野生動物の捕獲・捕食（ブッシュミート）等と無関係でないことが明らかになっている。もちろん温室効果ガス排出による気候異変で、動植物の生存分布が変わるなど生態系が大きく狂ってきていることも、かなり直接的な要因である。全体としてグローバルな経済社会が、グローバルに問題を噴出させていることによるということが、分かってきている。

その辺までは個々の事例が沢山調査・研究されてよく分かるがゆえに、何とかしなければばならないとの思いが、これら専門家の間にも強くある。思いは強いが、ではそれらのことが本当に改善できるだろうかとなると、とてもではないがそうは思えない。提言したところで拒否されるに決まっている。となると感染症の専門家があと出来ることといえば、ケース・バイ・ケースの対策でしかない。社会改革や世界改革、政治を通しての改革に希望を託すのではなく、主として医療面からする防疫上の取り組みである。しかしそれだけでは根本的な改革、つまり感染症流行の根源に迫るものにはなり得ないことも分かっている。しかしそれでもなお根元的な改革を担う「政治の世界」へのバトン・タッチが不可能だということになると、それに代わる方針とでもいうべき言葉、結局人間はどう対処すべきかを別の形で言わなければならない。

それが多くの場合、「人と病原体との戦いは、未来永劫に続く宿命」、「私たちは、自然の流れに跪く以外になすすべがない」、「人間はもっと謙虚であらなければならない」などの一般論で締めくくられることになる。

聞こえは悪くない。心地よくさえある。そのフレーズ自体も一般論としては間違いでない。本当にそれでそのように進むならば、である。だが実際に、感染地に足を運び、自らの罹患も覚悟で身を挺して感染症に取り組んだその結果が、そういう締め括りでは何とも情けなく、悲し過ぎはしないか。「宿命」を確認するために、あるいは「謙虚」になるために、危険を冒してまでなしてきた研究ではないであろう。まさか、感染症で死地をさまよい、感染症で沢山の肉親・友人・知人を亡くしている人たちに向かって、宿命論を語り、自然の流れに跪くべしとか、謙虚であれなどと言えるはずがないであろう。

仮に言えたにしても、人と病原体との戦いが未来永劫に続く宿命にあるとして、ではその中で人間は、人類は、どう生きるべきかが重大なテーマになる。それこそが本来問われ、究明されなければならないことなのである。謙虚ということにしても、同様である。真に人間謙虚であるためには、とてもではないが謙虚とは呼べないような政治が跋扈し、経済が人間全体のためというよりも大量の資金を有する人の利害と欲望によって動かされている現状を、どう変えるかが必要となる。となるとこれは、まさにグローバルで、非常に複雑で、しかも根深い慣習やシステムを変えるわけであるから、政治レベルの役割、政治を担うものが先頭に立ってなすべき問題である。つまり、政治の在り方を正面に据えてこれを改めることを要求しての闘いである。それを抜きにしての個々人の謙虚な生き方を説いたとしても何にもならない。

だが、この政治こそ難問である。それはこの何十年、否この百年、民主主義が普及したとはいえ、国民一般が、大多数の民衆が政治の舞台から排除されることによって現実の政治が成り立ってきた。否、大多数の人々が政治に失望し政治に触れて火傷することを恐れて、政治から遠ざかることによって現実の政治が成り立ってきた。つまり、かくして国の政治権力は、一握りの、もしくは一定の支配階級の手にあり、他の一般の人たちには歯が立たなかった。大抵の人は本能的（？）に、経験的にそれが分かるゆえに、国や政府に全般的な制度の見直しや改革が必要だなどと、モノ申せるはずがない。仮に、そうしたことを申したとすると、直ちに弾き飛ばされてしまう。ごく最近の例でいえば、二〇二〇年十月一日任命予定の日本学術会議新会員一〇五名のうち、過去に政府提出法案等に批判的意見を述べたことのある六人の候補が、菅義偉内閣によって任命拒否されている。これなどはまさに、政治にモノ申した人に対する見せしめ、政治的報復の典型である。

このように結局、政治的圧迫に抗して闘える見通しなど、どこにもない。とうの昔に、政治は人々の手に負えないものとなっている。「触らぬ神に祟りなし」でもあるのだ。ではどうすべきか。

まさしくこれが、感染症問題を通して改めて浮かび上がっている現代社会の深刻な病巣・病魔、最大のジレンマではある。だが、かかる状況との徹底的な闘いなくして、未来はない。これはもしかしたら、ウイルスや細菌等の病原体による感染症よりももっと深刻な、人間そのものの存亡に関わる、そして人類の未来を決する「政治的感染症」かもしれない。恐るべき現時代の感染症なのかもしれない。

◆『不都合な真実』と新型コロナ

二〇〇六年に刊行されたアル・ゴア米元副大統領の著書『不都合な真実』は、不朽の名作だ。そのタイトルはその後、世界中で「人口に膾炙する」までになっているが、十五年を経た現在読み返してみても新鮮で、人々の心を鷲掴みするに十分である。気候変動への危機が主たるテーマでありつつも、その中で感染症に関する以下のような文節が目を引く。

「地球が温暖化するにつれて、その活動範囲を広げている疾病媒介生物がある。藻はその一例に過ぎない。藻でも蚊でも、ダニでも何でも、病原菌を媒介する生物が、これまでいなかった地域に姿を現し、以前より広がってくると、人間に接触する確率が高くなり、その生物が媒介する病気はより深刻な脅威となってくる。」

「一般的に、病原菌やウイルスといった微生物と人間との関係は、冬が寒く、夜が寒く、気候パターンが安定していて、崩壊や混乱があまりない時は、それほど恐ろしいものではない。また、地球上の生物種のうち、熱帯雨林をすみかとしている種が最も多いが、この熱帯雨林のように生物多様性に富んだ地が、保護されて破壊されず、人間も入ってこないようになっていれば、人間にとっての微生物の脅威は小さくなる。」

「温暖化は、こういった境界線のすべてを間違った方向へと押してしまう。そうして人間は、これまでなかった見知らぬ病気にも、一度は制圧したはずの疾病の新しい型にも、かかりやすくなってしまうのだ。」

「この現象の重要な例を一つ挙げよう。蚊は温暖化の影響を大きく受けている。〝蚊のライン〟といって、この高度以上には蚊はやってこないというラインの少し上に場所を選んで造られた都市がある。ケニアのナイロビもジンバブエのハラーレも、そういった都市だ。現在、温暖化が進むにつれて、蚊は標高の高い場所へと移動しつつある。」

（以上、２００７年１月出版の日本語版・枝廣淳子訳、ランダムハウス講談社刊、１７２〜１７３頁）

いうまでもなく同書は、徹頭徹尾、気候危機の啓発に資する専門書である。地球温暖化がもたらす異変が様々な分野に及び、人類の生存にとって猶予ならざる状況にあることを、豊富な科学的知見と幅広い調査に基づき鮮明に描き出し、警告している。その一つがいわば、温暖化によってもたらされるウイルス等病原体と人間との関係である。そこでは、一般に感染症は自然現象であり自然災害であるかのように思われがちだが、決してそうではなく、むしろ人間の行動と深く結びついていることを鮮明にしている。

つまり、様々な病原菌やウイルス等は元々どこかに潜んでいるのだが、しかしそれをそっとして置けばよいものを、人間の何らかの行動の結果、潜んでいたすみ処から引っ張り出し、もしくは追い出し、それによって人間との接触機会が多くなる。しかもウイルス等の側もその間にいろいろと変異し、一度は制圧されたにしても、再び新しい型となって人間に襲いかかってくるという構図である。これらの指摘はあたかも、今日の新型コロナウイルス大流行を、すでにして見越しているかのようである。

それればかりではない。以上のような観点に立つとき、人間社会がこの新型コロナウイルスの大流行に臨み、何を真に課題とし、何に対して闘わなければならないかを示唆しているということであろう。

いわばウイルス等病原体と人間は、その根底において「すみ分け」が必要であり、「すみ分け」の原則を踏まえなければならないということになる。それは「生物多様性の尊重」を意味するものでもある。「すみ分け」とは、この観点から逸脱するような行為を抑制し、それを犯す行為を阻止しなければならないということでもある。まずは地球温暖化につながる温室効果ガスの排出削減である。さらには様々な開発による森林破壊・自然破壊、環境汚染、そして生態系の撹乱、あるいは大量生産や大量消費・大量破棄にみられる大自然への過度な負担。こうした問題解決への取り組みが、少なくとも三密回避等を柱とする感染症対策以上に重要な対策であることは論を待たない。

『不都合な真実』は、以上の点を論理的に、しかも全世界を調査し、多くの実例を挙げて明らかにしている。

◆〝倫理〟が地に落ちたからこそ政治との闘いが重要

しかし、である。ここで問題にしなければならない重要な点が残されている。それは著者のゴア氏が同書の序文で、「〝温暖化は科学だけの問題ではない。政治だけの問題でもない〟と感じてほしいということだ。これは実に倫理の問題なのである。」と言い切っている点である。一見もっともな言いようではあるが、果たしてそれでいいのだろうか。何か大事なことに立ち向かわないままに、綺麗に片付け過ぎはしないか。そのために、肝心な焦点がそらされていはしないか。

ちなみに、ゴア氏は一九九三年一月から八年間、米国副大統領の職にあり、この気候危機への取り組みを、国の最重要政策として推進すべく全力を尽くした。しかし共和党議員が多数を占める議会からは猛反対を受け、温室効果ガス規制関連の法制化等は陽の目を見るに至らなかった。そうした無念さを踏まえれば、温暖化問題は「民主党対共和党」といった政党間の対立に利用されるような範疇の、いうなれば〝政争の具〟に供されるような、皮相な問題ではないとの怒りも、もっともである。しかし、だからと言ってそこで〝倫理の問題だ〟と言い換えてしまっては、何も言ったことにならないではないか。

というのは、倫理というと、政治その他のいろんな行動規範の上に位置する〝人の道〟とイメージされ、そのように理解されるかもしれないが、まさにそうであるべき倫理が時の政治によって捻じ曲げられ毒され、倫理たらざる倫理に堕しているのが現代だからである。そのように倫理を凌辱し、これを手玉に取っているのが現代の政治なのである。言い換えれば、そうした点で人々が有する倫理の精神はすでに地に落ちた。であるから、「政治だけの問題ではなく倫理の問題だ」といっても、どうにもならない。どうにもならないどころか、このように形成されてある政治との真の闘いから目をそらすことになる。人々をして、目をそらさせることになる。

なぜそう言えるのか、どうしてこのようになっているのかの歴史由来に関わる問題については後章で詳述するが、その前にこれらのことについては、トランプ前大統領の一連の振る舞いを見れば、すぐ分かることであろう。

たとえばトランプ氏は、世界中で地球温暖化による危機が叫ばれ、温室効果ガス排出削減をテーマとするパリ協定が締結されているなかで、自らが大統領に就任するや否や、「科学的根拠がない」として、まさにその根拠を示すことなく温暖化問題を否定し、石炭・石油等の増産の挙に出た。そして前政権時代に加盟しているパリ協定からの離脱を宣言した。これはどう見ても、「科学的であること」の科学の否定であり、政治の悪用である。

もちろんそうであってもそれがトランプ氏の独り相撲に終わるのであれば、救いがなくもない。トランプ氏個人の誤った認識ということで済ませられるかもしれないからである。ところがこれによって石炭産業の雇用増加が図られるなどと多くの米国人が拍手し、支持の声を上げげた。トランプ氏に多くの人が騙されているのだと解説したにしても、岩盤支持者といわれる一定の勢力がそのようにあるということは、社会全体がそうした産業とそうした経済構造を容認し、それに依存していることを意味している。それはアメリカの経済・社会制度全般の問題であり、ひいては世界経済全体の問題でもある。それを改革しなければ、たとえば石炭産業縮小で仕事を失った人々が転職できるような産業の振興を図るなどの転換を進めなければ、収まらない問題なのである。それは最高に政治的なテーマであり、政治が先頭に立って果たすべき使命というべきである。

確かに、二〇二一年一月、トランプ氏に代わって大統領に就任したバイデン氏は、早速パリ協定離脱を取り消し、復帰を宣言した。また温暖化対策を政権の重要課題に据え、取り組んでいる。だがそれは、現行の経済・社会制度の中で、つまり経済構造を変えることなしに可能だとは思えない。いかに経済全体を変えるか、どういう産業経済にシフトするのか。同時にそれは、国民意識の大改革を必要とし、多くの国民が率先して改革に立ち上がるようでなければ、達成し得ない問題である。もちろん一朝一夕で為し得るものではないにしても、少なくとも強欲資本主義ひしめくウォール街富裕層との闘いは必須である。バイデン大統領がそこまで考えて温暖化対策を進めようとしているとは思えない。つまり、地球温暖化対策とは、単に温室効果ガス削減政策だけで済む問題ではないのである。

これらのことは、いうまでもなく最高に政治上の問題であり、その闘いこそが天王山なのである。まさに『不都合な真実』の光と陰のその陰とは、この点にある。スーパーリッチとその権力との闘いをいかに為すかにまで、立ち向かおうとしていないことにある。それは倫理の重要性を語ることで済まされる問題ではないのである。

◆安倍・菅政権がコロナ対策苦手な理由

しかしそれにしても、日本の政治家は視野が狭く、低レベルである。どうしてか。その遠因は明治以来の近代化過程にあるが、ごく近年に限って言えば、「美しい国日本」「強い国日本」を唱える安倍晋三政権の誕生以来、特にそうだということであろう。いうなれば、政権が目標とし、もしくは信条とするものが、明治以来の皇室崇拝を基軸とする「強い国」をいかに形成するかにあり、それは言い換えれば自国第一主義ならぬ自己中心主義であった。つまり、本人はグローバルな視点を有しているつもりでも、それは自分の信条を尺度にして見るグローバルに過ぎないからである。したがって、自分の政権が目標とする問題に関しては強力にその実現を図ろうとするが、しかしそれ以外の出来事に関しては関心が薄く消極的で、どちらかというと策を有さず、逃げ腰になる。

もちろんそうであっても、その政権の信条、目標なるものがそれなりに根拠を有するものであれば、現実との間にそれほど大きなギャップを生じさせないかもしれない。だがそうではなく、たとえば「日本会議」や「神道政治連盟」などの国会議員懇談会に所属し、そうした神がかり的視点をもっての信条、目標による政権運営となると、どうしても現実の諸現象と大きくズレることになる。

それが、脆くも壮大なまでに破綻をきたすことになったのが、新型コロナウイルス大流行への対応であった。そしてその行き詰まりゆえに安倍晋三総理は、二〇二〇年八月二十八日、健康上の問題を理由に総理大臣職を辞すると表明した。その後を受けて九月十六日、菅義偉内閣が誕生したが、「安倍前政権の継承」を唱えるだけに、コロナ対策についても何らかの新たな方針を語るわけではなかった。

確かにこの時期コロナは、七～九月の感染拡大を受けて第二波に入っていたが、世界の死者数が一〇〇万人を超えている中で日本は一五〇〇人であるなど、比較的低水準であった。そのため危機感が薄かったのかもしれない。だが驚くのは、十月二十六日召集の臨時国会における所信表明演説。菅首相が、「……、政権発足前は極端な円高・株安に悩まされましたが、現在は、この新型コロナウイルスの中にあってもマーケットは安定した動きを見せております。人口が減る中で、新たに働く人を四〇〇万人増やすことができました。下落し続けていた地方の公示地価は昨年、二十七年ぶりに上昇に転じました。」と胸を張ったことである。

まさにコロナ禍など、どこ吹く風。この間の自民党政権の功績を強調しようとしたのではあろうが、それにしてもどこを見ての所信表明なのか。マーケットを見て、株価を見て、地価上昇を見てであり、コロナ禍を見てでないのは、何としたことか。

つまり、前述したように、長い間安倍政権の女房役を務める中で、現実離れした一つの信条、目標にこだわることに慣れ、客観的な事象が意識の対象外になっている証左である。

◆菅政権のいかがわしい目玉政策

コロナ対策の問題はさておき、菅政権の発足に当たってのセールスポイントは、「国民のために働く内閣」とか「仕事師内閣」であった。だが、言葉は悪いかもしれないが、バカも休み休み言え！　である。これまで「国民のために働かない内閣」とか「仕事をしない内閣」とうそぶいた内閣が、どこかにあったというのか。

それでもなお、直後に実施の世論調査で新政権への支持率が、六十四％（『毎日新聞』）から七十四％（『日経新聞』『テレビ東京』『読売新聞』）まで全体的に高かったのは、前の安倍政権があまりにも不祥事が多くて国民から飽きられ、日々憂鬱でたまらなかったことの裏返しであったろうが、そればかりでもない。むしろ新しさをなんとか欲しがるメディアの媚び、メディアの責任でもある。

だがそれはさておき、ここで問題なのは、菅政権が当面の目玉政策として打ち出している携帯電話料金値下げ、行政のデジタル化、不妊治療への保険適用などの、そのいかがわしさである。

なるほど、携帯電話は圧倒的多数の人が使っているから、値下げ額が何百円であろうが何千円であろうが、それはそれでユーザーに喜ばれるかもしれない。ポピュリズム（大衆迎合主義）としては最高のくせ玉である。だがではこの日本に、携帯電話料金が高くて生活が困窮し、そのため首が回らなくなっているという人が、どれだけいるというのか。格差と貧困、そして雇い止めや首切りで路頭に迷っている人が多くなっている昨今、そのような人たちに携帯料金値下げがどれほどの救いになるというのか。手の打ち方が間違っていはしないか。

さらに言えば、料金を安くして気軽に使えるようにするということが、果たして良いことなのかどうか。電波にもコストがある。長谷川真理子総合研究大学院学長によると、いま世界中で六億人以上の人が、スマホなどで好きなだけ動画を見られるサービスを利用している。しかしこれが、どれほど環境に負荷を与えているかが問題であるという。何しろオンラインビデオの視聴によって排出される二酸化炭素は全世界の排出量の一%。航空機による排出が全体の二・五％なので、これは相当な量だ。テレビ番組を配信するにはそれなりのエネルギーが必要だが、個人宛てのビデオ送信は、それぞれの人々に個別に送り出すので、さらにエネルギーが必要になると、かかるＩＴ社会の在り方に警戒を呼びかけている（以上『毎日新聞』二〇年五月十七日）。

そればかりでない。スマホ等で人々が電波の世界に、目くるめくような情報の坩堝に浸っている様は、愚民政策と表裏一体である。政権にとってはこれが一番の安定基盤かもしれない。しかしメディアのほとんどは、多くの視聴者を敵に回すことになり兼ねないので、この料金値下げのスローガンにあまり批判の声を上げ得ないでいる。

行政のデジタル化推進は、さらに問題である。菅総理は新型コロナウイルス対策での経験が直接的なきっかけだとしている。つまり、コロナ禍では複数の省庁が分かれてやっている政策を一体的に取りまとめて進めることができなかったのだという。デジタル化は、そうした点での一体的体制確立に不可欠だと。まことにこれも、あざとい言いようだ。そもそも一体的にできようができまいが、コロナ対策で政府はどういう基本方針を出したというのか。せいぜい三密回避の呼びかけと、幾つかの給付金支給だけではなかったのか。最も重要な保健・医療体制の充実や環境衛生面の向上政策、エッセンシャルワーカー（社会生活維持にとって不可欠な公的職種の働き手）支援等を基本政策として打ち出しはしなかった。そういう中で、混乱を重ねてきた上での反省（？）がデジタル化である。

ズバリ言えば、デジタル化推進は、直接的にはマイナンバーその他、政府の統制システムの確立・強化が狙いなのかもしれないが、もっと重大な問題は、人々が安易に規格化されルール化されたものに慣れ、依存するようになり、物事を深く考えようとしなくなることである。言い換えればそれは、デジタル化人間ならぬインスタント人間を充満させることになる。果たしてそれで、人間社会が本当に人間らしさを失わずに成り立っていけるかどうかである。

いうまでもないことながら、社会がデジタル化されたからといって、近年多発の地震にしろ、気候危機被害にしろ、貧困にしろ、現代社会が抱えているこれらの深刻な問題が、容易に解決されるとは思えない。

不妊治療への保険適用問題も、大向こうを狙ったのかもしれないが、あまりにも姑息《こそく》である。そもそもそれは、少子化対策の一環としてなのか。それとも不妊者家族等からの強い要望による人道的見地からか。あるいは他にもっと差し迫った理由があってのことか。

AかBかの択一ゲームに準《なぞら》えるわけではないが、巷には幼くして失われる命が少なくない。あるいは若者の自殺増加も重大な社会問題である。その要因は様々であるにしても、では政治はそうした事象に十分目を配り、必要な支援に取り組んでいるのかというと、そうではない。であるのに、不妊治療への保険適用が政権の目玉にされるとなると、どこか胡散臭くはないか。

本来、不妊治療そのものに関していえば、現状がどうであるかをまず集約し、その上でよりよい治療に向けた医療体制等の充実をいかに図っていくかが課題のはずである。保険適用云々は、いわばそうした課題解決の上での一コマに過ぎない。

だが、一般に新聞やテレビ等は当初、以上のような菅政権の政治姿勢を、政策が具体的で実務型だと歓迎した。しかし実務にも良い実務と、悪い実務とがある。中でも問題なのは、こうした「実務」推進の政治手法である。菅総理は自民党総裁選のなかで、既得権益の排除や前例踏襲主義打破を掲げ、「指示に従わない役人には代わってもらう」と啖呵を切った。これはもうすでにして権力乱用による脅しであり、権力誇示に愉悦を覚えている現れでもある。もっとも二〇二一年に入って、菅総理自身の長男による総務省官僚接待疑惑が持ち上がり、「指示に従わない役人更迭云々」のフレーズは威力を失ったかもしれない。だがしかしこれは、官僚を腐らせるばかりでなく、社会全体をも殺伐たるものにする。

ちなみに安倍政権時代の七年あまり、官邸は各省庁の人事権を掌握し、官僚は報復を恐れて忖度一筋となった。そのためいろんな改竄、ねつ造、隠蔽が行われ、行政は著しく腐敗した。その中で、耐えられなくなって自殺に追い込まれた役人もいた。かかる陰湿な体制を掌握していたのは、表向きは安倍晋三総理だが、しかしその「実務」を取り仕切っていたのは、他ならぬ当時の官房長、菅総理であった。

その菅総理の一丁目一番地とでもいうべき規制改革。特定の者の権益を守る様々な規制や制度を改革する、つまり岩盤規制打破が目玉だとされているが、だとすればその権益の旨味の一つである政党交付金制度こそ、即刻廃止すべきではないか。

二〇一九年政治資金報告書によると、国からのこの交付金は、自民党が一番多く176億5千万円、立憲民主党が36億4千万円、公明党が30億2千万円、共産党はゼロ(受け取り辞退)、国民民主党が51億9千万円、日本維新の会が15億6千万円（＊いずれも2019年分)。

しかも、である。この交付金の主旨は、政党が企業や労働組合などからの献金で癒着することを防ぐため、これらの企業・団体からの献金を制限することとし、その代償措置として一九九四年の政党助成法成立により交付のものであった。にもかかわらず近年は、日本を代表する大手企業や業界団体が8千万円だ、7千万円だ、5千万円というふうに続々献金している。それが自民党の場合は、献金の受け皿となる政治資金団体「国民政治協会」を通じて入金しており、政党助成法の主旨は空文化した。つまり、法の抜け穴を使っての二重取りである。即刻廃止するに越したことはない。

だがそれよりも重要で急がれるのは、原子力発電の廃止である。二〇二一年は、東日本大震災十年の節目でもあり、原発災害の悲惨さと根深さが改めて大きく取り上げられている。そうであればあるほど、あらゆる分野の知見や技術を集合し国を挙げて、原発の早期廃止へ総合的に取り組むことこそ急務のはずだが、そうはなっていない。

いうまでもなく、原発は一日稼働が長引けばそれだけ多く「核のゴミ」(高レベル放射性廃棄物)が蓄積される。その置き場もすでに満杯である。最終処分場をどこにするかも含め、どうすれば処理できるかは、技術的にも未だ見通しが立たない。このゴミが無害安全になるには最低でも十万年はかかるというのが、国際的にもすでに常識である。

言い換えれば原発は、地球に対する、人類の未来に対する重大な犯罪といっても過言ではない。そのためかつての原発先進国であるドイツその他の国々でも、次々と原発から撤退しようとしている。そうしたことを菅総理が知らないはずがない。にもかかわらず原発をもつ電力会社やその経営に深い利害関係のある財界等との繋がりからか、何らの行動に出ようとしない。否、何らの行動に出ないだけでなく、二酸化炭素排出削減を口実に原発依存を強めようとしている。

何が規制改革で、何が実務型、仕事師内閣か。結果的にこれは、「国民のためには決して働かない内閣」ということになるのではないか。だがそれを許し、そうした政権の樹立に国民が手を貸しているのだから、政治の世界は、まさしく「病膏肓に入る」である。

第三章　現代資本主義の実像

◆「非力な野党」の非力不可避な理由

七年八カ月に亘る安倍政権時代、「安倍一強」と称される政権与党の盤石さとは対照的に、しばしば批判、揶揄されたのは「非力な野党」であった。なぜ非力かにはいろいろあるにしても、そこで出された指摘の一つは「野党は批判するばかりだから駄目だ。対案（提案）を出して争い、国民に新たな選択肢を示すようでなければならない」という類いの忠告（?）。とはいえども、「非力な野党」云々は、現在も変わらないし、今後もしばらくそうであろう。菅義偉政権に代わって必ずしも「一強」ではなくなっているが、にもかかわらず世論調査等での政権与党の支持率は他の野党を大きく引き離している。

が、それはともかくとして、対案を出して争えば、つまり各野党が政権与党の政策に対応する政策をそれぞれ展開していけば何とかなるという議論は、実はそう言う評論家自身が、何も分かっていないことを意味する。

確かに一般論として政策を出して競い合えば、何か新しいことが見出され、進展があるといえるかもしれない。しかしそれは土俵を同じくするものの間でなされる議論に限ってである。ところが土俵が異なっているのに、そのことを深く考えようともせずに相手の土俵に入って議論するとなると、入っていったものは容易に弾き飛ばされるか篭絡《ろうらく》されてしまう。したがってそこでは、どういう土俵にするか、どういう土俵であるべきかを巡ってまず争われなければならない。政策を出して議論するにしても、「対案としての政策」ではなく、政権与党が依って立つ土俵の問題点を衝き、それをどう突き崩していくか、そのための政策でなければならない。それが結果的に政権与党への批判先行になったとしても、決して間違いではないであろう。

ただし断っておくならば、ここでいう「土俵」とは、国会の中か外かとか、どういう議会か・どういう集会かというような、場所に関する事柄ではない。つまり物理的な場の問題ではなく、政治的テーマとその枠組みに関する問題である。具体的には、それぞれの党の綱領に関わることであり、その違いを明確にして闘われる議論でなければならないということである。綱領は、それぞれの党が何に立脚し、何に向かって政策を提起し展開しようとしているかを定めた、党の基本方針だからである。

《自由民主党》

その点ではたとえば、良くも悪くも最も明確なのは、自民党の綱領（二〇一〇年制定）であろう。何しろ自民党のそれは、冒頭から「日本らしい保守主義の理念」を掲げ、「反共産・反社会主義、反独裁・反統制的統治」を第一とし、加えて「日本らしい日本をもう一度取り返す」を目的にするとしている。それは、戦後の冷戦時代、世界中が東西に分かれて対立し、結果ソ連邦の崩壊となったが、このことがいかにも自民党の功績ででもあるかのように「立党の目的の一つが達成された」と自信たっぷりである。その上に立って自民党は、西側陣営（資本主義諸国）の強力な一員として「反共」「反独裁」を目的とするとしており、それがいわば基本的立場、自民党ならではの枠組み、政治的土俵なのである。もちろんその自民党がついこの間まで、「安倍一強」なる強権支配のもと、自ら独裁さながらの政治にいそしんできたのは何とも皮肉で「衣の下の鎧」だが、それはここでは問わないこととする。

《立憲民主党》

いずれにしてもかかる自民党に対して、では立憲民主党はどうかといえば、「立憲主義と熟議を重んずる民主主義を守り育て、人間の命とくらしを守る、国民が主役の政党」（基本理念＝二〇二〇年九月制定）というように、まことに上品、紳士的である。自民党の綱領が闘争心剝き出しで、現在の経済・社会体制や日米同盟を断固として守るとしているのに対し、立憲民主党のそれは、これには正面から歯向かおうとせず、ひたすら道を説き、荒々しさがない。それが悪いというわけではないが、では立脚点のどこが違うのかとなると、一言でこれだというものがない。そこではたとえば自らが目指すものとして

「立憲主義」や「自由と多様性の尊重」に始まり、「共生社会」、「国際協調」、「国民主権」、「基本的人権の尊重」、「平和主義」等を強調しているが、しかしそれだけでは他の党でも採用しかねないようなフレーズの羅列となり、立憲民主党ならではの政治理念がいま一つはっきりしない。少なくとも「かくかくしかじかの理由で自民党は間違っており、ゆえにこれと闘う」というくらいの文言を前面に掲げればまだしもだが、それがない。

そもそも、枝野幸男代表は代表就任直後いろんなところで、「私は保守主義者だ」と縷々語っていた。保守主義とは何かを、どう理論づけし解釈するかは別として、そのような議論は余計である。むしろ立憲民主党が闘わなければならないのは、明治以来このかた、ややもすると戦前日本を懐かしみ評価する保守的意識が社会に染み込んでいることに対し、これをいかに変革するかにあるのではないのか。

たとえばその点で昨今持ち上がっているのは、慰安婦問題や徴用工問題など韓国最高裁が判決を下した戦時補償問題にどう応えるかであるだろう。日本政府は一九六五年六月締結の日韓基本条約と日韓請求権協定で解決済みという姿勢である。ましてや（韓国の）国内法で主権国家（日本）を裁くことができないのは慣習国際法の「主権免除」原則に反するもので、このような請求は論外だとして、逆に韓国に抗議している。日本のメディアもほとんどがその尻馬に乗り、盛んに韓国政府を批判している。立憲民主党もその一員だが、しかしそれは間違っている。

よくいわれることに、加害者は早く忘れようとし、忘れられもするが、被害者は被害の痕跡に苦しみ、なかなか忘れられない、という言葉がある。日本は一八九四、九五（明治二十七、八）年の日清戦争やその十年後の日露戦争を経て大陸侵略の足場を築き、一九一〇（明治四十三）年、韓国併合条約をもって朝鮮半島を植民地化した。植民地支配の苛酷さがどのようなものであるかは、支配されている側でなければ分からない。特に先の世界大戦時、朝鮮半島の住民は、いろんな形で駆り出されている。それに対し、どれだけ日本は深く謝罪し、誠意をもって補償等に取り組んだのか。

日本政府は、前記条約・協定で補償等は済んだとしている。しかし韓国高裁判決では、これら条約・協定は両国間の財政的、民事的債権・債務関係を解決したものであって、植民地支配の不法性を取り上げているものではない、強制動員被害の法的賠償を否定している、ゆえにこの問題は未解決のままである、と指摘している。

どうしてこういうことになっているのか。日韓基本条約締結の一九六五年といえば、冷戦時代のただ中。アメリカの意向もあって当時の独裁的な朴正熙大統領との間で結ばれた。しかしそれは、朴統治体制の強化には役立ったにしても、必ずしも植民地時代の問題を十分に汲み上げたものではなかった。そういう点でこの問題は、残されたままである。仮にそうでなかったにしても、条約・協定が不十分であると相手側から提起されれば、改定交渉の場を設ければよいであろう。それが出来ずに門前払い一筋では、外交すべてが行き詰まるも当然。そこにこそ現在の日本の保守政党の救いがたい欠陥、危険性がある。平和主義や国際協調の重要性を主張する立憲民主党であるならば、まさしくそうした点でこそ違いを示し、啓蒙に努めるべきではないか。

さらにもう一つ言えば「原発問題」である。同党は今、「ウイズ・コロナではなくゼロ・コロナであるべきだ」と語るなど、新型コロナウイルス対策については健闘している。

その言い草を借りれば、まさに「原発ゼロ」こそ、政策の大きな柱であるべきだろう。特に同党は、その前身の前身である民主党政権時代、二〇一一年東日本大震災における福島原発事故への対応で大変に苦労したはずである。そうであるだけに、昔の民主党とは違うということを示すためにも、原発即時廃止と総合的なエネルギー政策を掲げ、これに集中することが、自民党と異なる基盤に立って闘う第一歩となるはずである。にもかかわらず、電気労連を母体とする議員を抱えていることなどから、この体たらく。政権与党と真に闘おうとするならば、まず自らの身を正し、自らのかかる政治基盤を変えることから始めるべきである。

それなくしては政権与党と同じ土俵上での闘いということになり、政権与党によほどの失敗がない限り、取って代わるということにはならないであろう。

《日本共産党》

では政権与党から忌み嫌われることの多い日本共産党はどうか。さすがに共産党は伝統を誇る党だけあってその綱領は整っている。すなわち、一九二二年の結党以降の闘争過程を記した「一、戦前の日本社会と日本共産党」に始まって、「二、現在の日本社会の特質」、「三、二一世紀の世界」、「四、民主主義革命と民主連合政府」、「五、社会主義・共産主義の社会をめざして」と網羅的で、かつ体系的である（二〇二〇年改定）。とはいえど、やはりかみ合うものになっていない。つまり政権与党の政治基盤をどう突き崩すかを前面に押し出すものになっていない。それはどうしてか。

確かに、共産党が構想する運動の発展段階に即していうならば、目標はまず、日常の諸活動を通して実現する「民主主義革命と民主連合政府」であり、その遙か後に「社会主義・共産主義の社会」を展望するということではあろう。だがそれを語ることで果たして、共産党が現に迫られている闘争に応えることになっているだろうか。というのは、すでに見たように自民党は「反社会主義・反共産主義」を前面に掲げて国民を組織することを基本にしている。それは常に保守的な有産者階級を基盤にし、大衆の中にある保守的観念に依拠するものであった。共産党が社会主義・共産主義の実現を将来のこととしようがしまいが、自民党は常に社会主義に対峙している姿勢を示すことで、それが組織力になっている。

だとすれば共産党が普段になすべき闘いは、かかる自民党の政治基盤をどう突き崩すかに焦点を置かなければならない。それは釈明することでも、弁解することでもない。

端的にはたとえば、自民党には社会主義を批判し共産主義を非難する資格など毛頭ないということを徹底して明らかにしていくべきだという点である。つまり自民党は戦後、冷戦時代の到来とともにアメリカに与し、戦前日本の侵略戦争の反省とその償いを途中で放棄し、そればかりでなく「反共の砦」としての日本構築へ邁進してきた。しかし冷戦体制そのものが建前通りのものであればまだしも、米ソとも本気で相手を倒そうとしているわけではなかった。それは対立抗争を煽ることによって、お互いが自陣営の強権的支配体制を維持するためのいかさまでしかなかったのである。なおその上に当時から、社会主義や共産主義などどこにも存在しなかった。存在していたソ連等は、社会主義という名で人民を統制し抑圧する、いわば偽の社会主義であった。そのことをアメリカ等も十分わかっていながら、これを真の社会主義に見立てて攻撃し、そうすることによって資本主義陣営の勢力拡大に役立ててきたのである。したがって自民党が、かかる冷戦体制の中で西側陣営に積極的に位置付き社会主義に勝ったというのは、国民を愚弄するも甚だしい。そういういかさまで国民を騙し、のし上がってきたに過ぎない。むしろ自民党の今日が在るのはある種、社会主義のお陰、しかも偽の社会主義のお陰だということこそ肝に銘じ、糾弾されるべきだという点である。

以上のような点を全面的に理論化し、暴露していくことこそ重要である。

だがそれはある種、共産党自身が返り血を浴びることでもある。何しろ共産党は、冷戦時代に関する本格的な、真正面からの総括を、ほとんどなしていないのが実情である。そういう中で無理に進めれば、共産党自身の総括がどうだったかを問われ、党全体に大きなアレルギーを引き起こすかもしれない。

せめて現行綱領の「二一世紀の世界」の(八)項で触れている〝ロシア革命とその後のソ連の変質〟に関わる記述で、単に「ソ連覇権主義崩壊の意義」を語って終わるのではなく、そのソ連覇権主義なるものと資本主義諸国首脳との間で構築された冷戦体制全体の犯罪性を暴露するようであれば、まだしもである。この冷戦時代こそが、いわば「資本主義対社会主義」という偽りの対立により世界中の人々を惑わし、苦境に陥れた支配の構図であった。つまり、かかる偽りの対立を繰り返すことによって、国家権力のみが大きく屹立し、支配階級の安定が図られ、強欲資本主義が跋扈する現代世界を生み出したのである。したがって、〝ソ連の変質〟なるものは、単なるスターリン批判や、もしくはスターリン後のソ連指導部批判で終わらせるような筋合いのものではないということである。

《社会民主党》

もう一つの野党は、社会民主党である。同党は現在、大半の議員が立憲民主党へ合流したことにより消滅の危機にあるが、その綱領（二〇〇六年採択）を見る限り、出来栄えは立憲民主党のそれよりも遙かに上である。それは同党が、直接的ではないにしても一八八九年に創設された第二インターナショナル（各国の社会主義政党・労働組合の連合組織。一九一四年消滅）を淵源としていることにもよるが、戦前はともかく戦後にあっては一筋に反戦平和を貫いてきたことによる。

だがその党名の「社会民主主義」。社会主義を民主主義的に実現するという意味かもしれないが、しかしそれは逆に社会主義と民主主義のどちらに比重を置くのかを曖昧にする。それに何よりも、本来社会主義とは最高に民主主義的な制度であるはずであり、なのに敢えて社会主義に民主主義を付与する理由は何か。ヨーロッパ諸国においても伝統的に社会民主主義を名乗る政党が多かった。だがそれは、世間にある社会主義へのアレルギーや疑念をおもんぱかり、社会主義をストレートに打ち出すことへの躊躇ゆえにではなかったのか。ここでもやはり、自民党や保守勢力からの「反共産主義」「反社会主義」攻勢に真っ向から対し得ない弱さが露呈されている。

もともと社会民主党の前身である「日本社会党」時代から同党は、ソ連を中心とする共産主義インターナショナル（第三インター）指導下の社会主義運動とは、一線を画する存在であった。それには、議会を通じての革命か実力行使をも伴う階級闘争かの違いもあるが、主要には革命の主体勢力に関する相違であった。つまりソ連等共産党が、どちらかというとプロレタリアート（労働者階級）を主体とする被支配階級の独裁をもってするのに対し、社会党は諸勢力の代表による民主的な連合政府を想定。どちらがより現実的で、より合理的・科学的であるかは別として、である。

いずれにしてもそのように、ソ連等既存の社会主義・共産主義運動とは距離を置いていたのではあるが、しかしでは無縁であったかというと、決してそうではなかった。組織や個々の活動においては無縁であったにしても、客観的には「社会主義対資本主義」として展開する世界の冷戦体制をバックにしていたことである。つまり、資本主義諸国側と社会主義諸国側との対立による均衡が、政治的な活動基盤であった。したがって、冷戦時代が終焉しソ連圏等が崩壊したとなると、これまで批判し対立しつつも無意識のうちに寄りかかっていたものがなくなり、足場が崩れる。

これより以降はさらに、今までにも増して自信を深める資本主義的体制とそれを支える保守勢力に対し、いわば孤立無援で闘わなければならない。支持する大衆がいるではないかというかもしれないが、冷戦の終焉は社会主義の敗北と資本主義の勝利を世界中に印象付けたことで、大衆自身が社会主義から一斉に逃げ出し、どんどん離れていっている。なおその上に、社会主義政党を名乗る限り、社会主義への烙印、悪評を一身に引き受けなければならない。

したがって現実の活動としては、資本主義制度に代わる新たな社会制度を対置して闘うようなことはせずに、政権与党の失敗や非道などの問題点を衝くことに焦点を当てて闘う以外にない。だがそれではやはり、相手の土俵内での闘いとなり、自らの土俵構築にはなり得ない。

そうではなく、少しでも自らの土俵を構築しようとするならば、「青年よ　銃を取るな」(鈴木茂三郎元委員長)の精神を引き継ぎ、まずは〝平和の党〟に徹する活動に取り組むべきである。たとえばその一つは沖縄県辺野古への米軍基地反対に全力を挙げること。しかしそうすると当然ながら、日本の安全保障はどうするのだという批判に晒されるであろう。それに応えるためにも一層先行する形で、戦争等の危険の芽を摘む平和外交の推進に重点を置くこと、これが一番大切、重要である。これは現状の社民党の組織力ではよくなし得ないとしても、いろんな平和団体、いろんな有志と連携しその協力を得てやれば、それなりのことは出来るはずである。それが票にならなくとも、この一筋の道を追求することが自身の政治基盤を強化し、社民党の生き延びる道につながるのではないか。

◆「社会主義圏」崩壊で資本主義も変わった

総じて現在の問題は、現行の社会制度、すなわち資本主義体制を柱とした社会体制に対置される新たな社会制度が、見出されないということにある。だがそれは、対置すべき制度が見出されないことに問題があるのではなく、そのような形で別個の制度を対置しても太刀打ちできないような社会構成へと、資本主義社会の構造が変わってきていることにある。

言い換えれば資本主義そのものが、ひと昔前とは大きく異なったものになった。二十世紀初頭の一九二〇年代三〇年代までであれば、資本主義とは土地や工場・機械等生産手段を所有する資本家が、賃金労働者を雇って働かせて商品を生産し、その商品を販売して利益を得るという仕組みを基本とするものであった。つまり資本家と労働者の関係を軸とする生産様式である。それ自体は、現代においても変わらない。したがって現代もなお資本主義の時代、もしくは資本制社会と呼ばれている。

だが、確かにそうした点は変わらないにしても、資本主義社会を構成する諸条件が、つまり資本主義体制の構造そのものが大きく変わった。第一には資本主義の存続とその構成にとって不可欠な存在である労働者の存在の仕方が変わった。なかでも特に顕著なのは、労働者階級の階級意識が薄れ、支配階級と被支配階級との間に敵対関係がなくなり、どちらかというと一体化したことである。

というのは、現代においては、直接的か間接的かは別として、多かれ少なかれ、ほぼすべての人間が社会主義を経験し、これを知っている。つまり、戦後約半世紀に亘る冷戦時代、「資本主義対社会主義」としての対立に世界中が巻き込まれ、社会主義の負のイメージが隅々まで浸透してしまった。

もちろん、本来の社会主義はあのようなものではない、スターリン支配のソ連とかその属国は、社会主義の出来損ないであり、いわば偽物だと断ずる人もいないわけではない。否、少なからずいる。少なからずいるにはいるがしかし、では偽物ではない本物の社会主義はどこにあるのか、本当にそれはあるのかとなると、実物があるわけでも証拠となるようなものを示せるわけでもない。したがって結局そうした主張、そうした信じ込みは、単なる願望か夢物語でしかないとして退けられ、迫真性を欠く。かくして不承不承、スターリン支配以降のソ連と、今日では中国や北朝鮮をも含めてだが、「社会主義にあらざる社会主義」が社会主義であるとされることを、受け容れざるを得なくしている。

いうまでもなく資本主義に対抗する社会制度といえば、歴史的に見て、何といってもそれは社会主義もしくは共産主義であった。まさか、資本主義に対抗する新たな制度として、資本主義がすでに克服したはずの、資本主義の前の時代の封建制社会や貴族社会を持ち出す人がいるはずがない。対抗できる制度があるとすればそれは、資本主義の矛盾を止揚するものとして提起されている社会主義以外にない。

もちろん一口に社会主義といってもいろんな潮流があり、いろんな党派、いろんな学説があり、一様とは言えない。だがしかし共通なのは、資本主義が資本家の利潤追求を目的とする市場経済を基本とするのに対し、社会主義は社会構成員全員の立場での計画的な経済の管理、運営を目指している。そのための必要な措置として、生産手段やいろんな施設の公有・公営化がカギを握る。ただしその際に、それが一部の権力者や官僚、あるいは専門家のみで推し進められるのではなく、圧倒的に多くの大衆が参加し、大衆の自主性を生かす中で進められることが重要であり、飽くまで活動の主体は被抑圧大衆でなければならないとされていた。

しかしである。そのような社会主義が、一九一七年のロシア革命以降、一旦は世界の労働者階級や被抑圧大衆の期待を担って登場したにもかかわらず、その後、無惨な姿に転落した。ということはある種、人類社会全体の未来への希望が断ち切られたにも等しいことであった。もちろん再度の革命が成功すれば、本来の社会主義に進むことが可能であったかもしれない。だが、その望みが絶たれるどころか、ダメ押しの上のダメ押しで、戦後の冷戦時代を通してすっかりぼろぼろになってしまった。そして一九八九年、米ソ首脳会談で冷戦終焉が宣言され、ソ連邦等はその二年後の一九九一年に崩壊して、資本主義世界の市場経済に組み込まれた。

以上のことは、資本主義経済に対置する新しい経済制度が他に考えられなくなったという問題ばかりではない。現行の体制（資本主義）を超える体制への道が閉ざされたということになり、現行の体制を守る国家権力や支配体制に従う以外にないということと同義になる。いわば大衆が、権力や支配体制に反対し、これを変えようとする運動が、すっかり自信を失った。枝葉の部分では何か出来たにしても、根本的な変革の運動は絶望的となった。かくして、そうした反対運動、抵抗運動に関する無力感、敗北感が社会全体を覆い、圧倒的多数の人びとが政治の世界から身を引く傾向を増大させたことである。

そのことはたとえば、戦前の社会主義者や共産主義者が、苛烈な弾圧下でもなお信念を貫き通した者が多かったことを思えば、冷戦終焉後の状況がいかに荒涼索漠たるものであるかが分かろうというものである。一つの歴史的結果をもって突きつけられたことによる絶望の念が、いかに癒やし難い「トラウマ」（心の傷）となるかを示して余りあるといえる。

これらのことは、資本主義の歴史にとってはどうかといえば、それは全く稀有で、決定的な出来事といえた。何しろ、自らの発展段階のその頂点とでもいうべき独占資本支配の、そして様々な学者や革命家が「資本主義の最高の段階としての帝国主義」（レーニン）と規定し、もうこれ以上の先がないと見なしたその分岐点において、最大の競争相手である社会主義に打ち勝ち、これを征服したわけである。少なくともこれによって、資本主義を根本的に否定する革命など、未来永劫心配する必要がなくなった。これは資本主義の歴史上未曾有のことであり、資本主義がそれ以前と大きく異なる踏み台となるは、けだし当然と言える。なんといっても、全世界の人間を打ちのめし、屈服させ、征服したのだからである。

◆「全人間総資本家」時代の到来

とはいえども、それだけでは資本主義のリスク要因を取り除いたに過ぎず、確たるプラス要因を獲得したことにはならない。長い目で見れば、今現在がどうであれ、将来にわたって資本主義がどう繁栄していくかが、本当の分かれ目だからである。

しかしそれは、労働者階級等被抑圧大衆を屈服させ征服したことの中に、すでに芽生えていた。具体的な現れとしては、労働者階級及び被抑圧大衆の中から、資本主義社会を受け容れ、その中で成功的地位を得ようとする動きが強まったことである。つまり、一般大衆のなかの支配・被支配の関係に関する階級意識が薄れるとともに、資本主義社会の中でどうすればよりよい生活が出来、恵まれた地位が得られるかに関心が集まった。それは、経済的豊かさの追求であり、あるいは発明発見などの研究分野にやりがいを見出すことであり、さらにはスポーツや芸能界などでの活躍とか、もっと言えばこの資本主義社会で自らも大資本家になることを目指し、さらには大政治家となり権力への道を歩もうとすることである。

いずれにしてもこのような動きの活発化によって、社会は「一体」になった。貧富の格差や身分的階層のひらきや、その他いろんな差別等による不平等や分断はあるにしても、それぞれが現行の社会制度の中でよりよい状態になることを目指して働くということは、全体としての社会的エネルギーを大きく沸騰させる。しかも科学技術の発展、中でも高度情報化時代の到来で社会全体・世界全体がより一層フラット化し、それをバックにいろんな人がいろんな企業を興し、もしくは金儲けに走る。いうなれば「一億総活躍」ならぬ「一億総企業家」、あるいは「全人間総資本家」、「全世界総資本家」時代到来である。

何しろ近年では、身分保障のない非正規の従業員でさえも、「経営者になったつもりで、どうすればお客さんが喜ぶかを第一に考え、創意工夫で仕事をしてほしい」とサービス精神を求められ、それが成績評価の指標にされる始末である。

いうまでもないことながら、かかる社会、かかる世界は、これまで以上に利己心が強まり競争性が尊ばれる。すでに冷戦時代末期の一九七〇年代八〇年代からその傾向ははっきりしていた。国有国営・公有公営等の施設や事業は無駄と非効率の象徴と断じられて、どんどん民間企業に売り渡された。大資本が自由にあらゆる分野に食い入って利益を上げる「新自由主義」なる思想が幅を利かせていた。その流れに乗って、優勝劣敗の市場競争は一層加速。そこでは、「GAFA」のような巨大勝者も誕生するが、蜉蝣《かげろう》のように孵化する暇もなく消え去る起業家や「資本家の卵」も少なくない。これまでにない巨大な格差拡大である。

しかも、である。このような光景は、資本主義の資本主義たる性格をも変えることになる。どういうことかというと、一般に労働力という商品は、そのコスト（生活費）以上に価値を創造する商品であるのに、経営者はその労働者の生活費に当たる分しか対価を払わない、いわゆる労働による創造的価値分が対価として労働者に支払われず、それが経営者の懐に入る。それが剰余価値であり、搾取の発生源だというのが、資本と労働との関係に関するマルクス等の理論であった。

この剰余価値論が全的に正しいかどうかは別として、現代の資本主義は経営者が労働者を雇って生産・販売する中で利益を得るという直接的な関係ばかりでなく、他の資本家・他の経営者との関係の中で大きな利益を得るという傾向を強くしている。つまり直接的な縦の関係ばかりでなく横の関係がフルに活用され、それが土俵となっている。当該資本家が直接雇用している労働者との間で利益を上げるばかりでなく、他の企業との関係で、つまりいろんな雇用主やいろんな労働者の倒産等の犠牲の上で、しかも倒産した企業や失業者が稼いだ成果を手にすることで一層利益を大きくしているという関係である。このことは、「全人間総資本家」時代であればあるほど、顕著なものとなる。もともと市場競争とはそういうものだと言ってしまえばそれまでだが、あまりにも多くの人間が市場に参入し社会全体が市場化されていることにより、いわば資本の草刈り場が無限に広がる環境になっている。

しかも、である。そこで最も強く競争のしわ寄せを受け収奪されるのは、低所得者等社会的弱者である。近年日本では、非正規労働者が四割をも占めるに至っているが、これはある意味で「全人間総資本家」時代の必然的産物かもしれない。つまり今日においては、資本の利得の大きな部分が、ところ構わず不特定多数の社会的弱者を踏みつけにすることで生み出されている。同時にそれは個々人にとってみれば、雇用主の下での労働時間のみならず、休憩時間や消費行動をも含めた二十四時間全体が、利潤を差し出す対象にされていることを意味する。社会全体二十四時間が、搾取の対象だということである。

関連してさらに言えば、情報の高度化あるいは情報の氾濫の中で、いろんな分野の新技術等へのアクセスが容易になり、そこで企業は、あるいは資本家は、それを「無料」で手に入れ使用できているのもメリットである。観方を変えればそれは、社会的富の勝手な使用、不法占有が自由に為されているに等しい。

というのは通常、個々の資本家、個々の企業は、自社の利潤拡大のためにはそれなりの投資を不可欠とする。たとえば新たに資金を投じて工場を増強するとか、あるいは機械設備を更新し、研究開発に資金や人材等を投ずるとかして、とにかく競争に負けないよう、時代の流れに遅れないよう必死である。当然、そのための投資としての固定資本の増強は避けられない。

だがその際、それまでの社会において、いろんな人たちの犠牲や苦心の末に開発され生み出された新技術や知見等を、つまり公共財とでもいうべき社会的な成果を、直接それに関わりをもたなかった資本家なり企業がただで使用できるということは、一定の資本増強なしに増強したと同様の利益が上げられるということになる。このことは、固定資本増加の大きさに比して利潤率は上がらず、その割合は低下するというマルクスの「利潤率低落の法則」が、現代では必ずしも有効な資本主義批判の武器にならないことを意味する。前提が変わり、固定資本を増強しなくとも、つまり新たな資本投下をせずとも企業は利益を確保し、競争に勝ち抜く道がいくらでもあるようになったからである。

◆トリクル・ダウンと現代資本主義の野蛮

とはいえども、では資本主義は万々歳かといえば、それは全く否である。そのことは再び元に戻り、本当に資本主義は社会主義に勝利し、社会主義は資本主義に敗北したといえるのか、である。

社会主義は立ち行かなくなった、資本主義市場に明け渡したという点では、確かに資本主義の勝利であろう。しかし、では、社会主義が資本主義に突きつけていた核心的問題に資本主義は応えることが出来たのか。資本主義社会では資本の利潤追求が経済活動の原動力であり、それが社会システムの基本であった。対して社会主義は、利潤追求のための経済ではなく社会構成員全体のための経済、みんなのための経済、言い換えれば〝公共性の重視〟を基本にしている。そうしないことには、社会全体で築き上げているみんなの資産が私的資本の利益のために食い荒らされることになり、経済は立ち行かなくなるし、社会が社会でなくなる。社会主義からのこのような突き付けに、資本主義はどう応えようとし、もしくは応えているか。

まさに社会主義は、その公共性重視、公共優先のために、もしくはそれが口実となって、国家権力による統制が幅を利かせ、そのために結局、個々人の自由や人権がないがしろにされ、それればかりでなく経済活動そのものも活力を失い、資本主義経済に負けることになった。それが一般的な観方であり、資本主義の側からのけなし理由であった。

確かにそれはそれで、その通りかもしれない。だが、そうした批判が正鵠を得ているにしても、では資本主義は、社会主義が突きつけている「経済は資本家の利潤追求のためにあるのではなく、社会構成員全員のためにあるべきだ」とする公共性の問題に応えられているのかとなると、決して応えていない。強いていえば、とにかく経済全体が発展し豊かにならなければみんなの幸せはない、資本主義はそれを資本の利潤追求をテコとした市場経済により実現するのだ、という言い分であろう。そしてそれが冷戦時代、戦力増強を背景とした社会主義圏との競争のなかで、いうなれば遮二無二押し通すに至った。

そしてその資本主義は、冷戦終焉後、「社会主義に勝利した」を手柄に、その余勢を駆ってあらゆる分野に侵食の手を伸ばした。外に対しては軍事力と金の力で、新興国・後進国の気に食わない政権をひっくり返すなどして市場を手に入れた。内においては公的な資産や公的システムを社会主義の残滓として攻撃し、大企業の食い物にした。まさになりふり構わぬ強欲資本主義の横行であったが、このおり飛び出したこじつけの理論が「トリクル・ダウン」(滴り落ちる)。「富裕層の所得が増加すれば、その一部が貧困層にも浸透して経済成長（による果実）が社会全体に行き渡る」（『広辞苑』）という、なんとも有り難いご託宣。一九八〇年代、アメリカのレーガン大統領のレーガノミクスで使われ出したものだが、仮に貧しいものが滴り落ちるものを口にすることができたとしても、それを有り難いと思う人がどれほどいるであろうか。それはまともな人間社会に通用する話ではない。通用したにしてもせいぜい、奴隷社会ぐらいでしかない。「社会主義に勝利した」はずの資本主義の野蛮も、ここに極まれり……である。

日本でも、小泉純一郎政権や安倍晋三政権時代、その取り巻きなどがこのトリクル・ダウンを使って格差批判をかわそうとしていた。富裕層が一層富裕になれば、いずれ貧しい人にも（おこぼれが）滴り落ちるはずだと。しかしさすがに気が咎《とが》めてか、いつの間にか口にするものは少なくなった。

そもそも経済は、そして富は、それ自体その社会の歴史的産物であり、成果品である。たとえどれほど有能な人間であろうとも、現に所有している富が、一から十まで全部自分ひとりの力で作り出し得たものでないことは明らかであろう。それなのに、一人で何百人何千人分、否何万人分もの報酬を懐にして巨万の富を占有することが、どうして許されているのであろうか。

◆巨大格差に終止符を打つ奥の手

すでにいろんな形で報じられているように、近年の経済格差は極めて深刻である。国際的なＮＧＯ（非営利組織）である「オックスファム」が、ダボス会議（世界経済フォーラムの年次総会）の開催に合わせて二〇二〇年一月二十日に発表した経済格差に関する報告書によれば、二〇一九年時点で、世界の富裕層上位二一五三人の富の合計が、最貧困層約四十六億人分の資産合計を上回っているとしている。世界の十億ドル（約一一〇〇億円）以上の資産を持つ人の数が過去十年で倍増し、格差は想像を絶する規模であるという。なお最貧困層四十六億人は世界総人口の約六割に当たる（ちなみに、国連の推計によると、

二〇二〇年七月現在、世界の人口は七十七億九四八〇万人）。

同報告書はさらに、世界で最も裕福な一％の人たちが、その他の六十九億人が持つ富の合計の二倍以上を持っていると指摘。あるいは世界で最も裕福な二十二人の男性の富の合計は、アフリカの全女性が持つ富よりも大きいとか。最も富裕な一％の人たちの富に今後十年間〇・五％追加課税すると、それだけで教育、医療、高齢者介護などの分野で一億七千万人の雇用を生み出すだけの投資額が得られる、と分析している。また、このような格差拡大の一因として「（富裕層への）税率の引き下げと意図的な税逃れ」を挙げ、「経済的不平等はジェンダーの不平等によっても作られている」など男女の経済格差にも言及している。

その上に立って報告書は、「各国政府は一％ではなく九九％の国民の利益になる経済を作らなければならない……」と訴え、①富裕層・高額所得者・大企業への課税強化と税金逃れ対策、②低賃金や無権利となっている介護などの労働者の保護、③ジェンダーの不平等の是正、などを求めている。

もっともなことではある。だがしかし逆に、何故に富裕層や大企業に対する税率が低く設定され、優遇されているのか。あるいはタックスヘイブンなど利用して税金逃れをしているのを、取り締まれないのはなぜか。そうしたことこそが問題であるだろう。直接的には富裕層や大企業が政権を買収し、権力と癒着しているためかもしれないが、そうであればあるほど、それがどうして可能なのかが問われなければならない。

結局問題は、巨大格差をもたらし、巨大格差を容認している政治の有り様を問うだけではなしに、このように転倒した世界が恒常的なものとなっているその要因が何なのかに収斂する。

経済格差に端を発しての政権等への抗議行動としては、二〇一〇年末、「アラブの春」と称される市民革命が、エジプトなど中東各地やスペインで発生した。これを受けて二〇一一年九月、アメリカはニューヨーク市マンハッタン区のウォール街で燃え上がった。特にアメリカは二〇〇八年のリーマン・ショック以降、十九歳から二十歳代前半の高学歴の若者の四割が職に就けないなど多くの人が貧困で苦しんでいた。「ウォール街を占拠せよ」を合言葉に、あるいは「一％対九九％」等と叫んでの抗議行動が全米に広がり、同年の九月から十一月にかけての六十日間、多くの逮捕者を出しつつも激しい街頭デモが繰り広げられた。

こうした若者を中心とする行動はその後、二〇一六年と二〇二〇年の二回にわたり、アメリカ大統領選挙の民主党候補予備選に出馬したバーニー・サンダース上院議員への熱烈な支持へと引き継がれた。サンダース氏は教育の無償化や健康保険の完全実施など弱者救済の社会主義的政策を掲げ健闘。だがしかし、掲げる社会主義的政策はよいにしても、今なぜにそのような闘いをせざるを得ないのか、つまりアメリカ社会荒廃の歴史的背景とでもいうべき現代資本主義そのものの基盤を総括し、それを批判するまでには至らなかった。

まさに必要とされているのはその点なのである。一般的に言って権力者や富裕層が、たとえどのように激しく批判されようとも、そのことが長年の伝統に基づくものであり、かつまた大多数の人に容認されている制度や慣習に則ってなされているものである場合には、それほどの痛痒を感じない。批判されても苦にならない。だがしかしそれが、伝統や大多数の人に容認されている制度に依っているとしても、その容認されている制度そのものが実は社会全体を欺くことをもって成り立っているとするとき、その正当性は脆《もろ》くも崩れる。社会全体を欺いていることが白日の下に晒され正当性が失われれば、当然それに依拠して存在している人の権威はガタ落ちになる。尊敬の念が薄れるどころか軽蔑の対象にさえなる。同時にそれが明らかになればなるほど、反体制運動は厚みと幅を増し、強力になるであろう。かくしてそれは現代社会を、そして現代世界を大きく変える革命に転化するであろう。

したがって今急がれるのは、現代社会全体がどう欺かれているかの歴史を、まず白日の下に晒すことである。

◆急がれる温暖化対策と社会改革の一体改革

巨大格差と並んでもう一つ深刻なのは、地球温暖化による気候危機である。

この気候危機を解決するには、格差解消が欠かせない。貧困・差別をなくし、世界中の人間がその気になって協力して取り組まなければ、達せられない事柄だからである。また逆に、気候危機は貧しい人、身分の低い人、住むに家なく土地もない流浪の民を無慈悲なまでに直撃する。格差と気候危機は、かけ離れたテーマであるようでいてその実、極めて密接である。いずれもこれは、この半世紀余りの暴走する市場経済により、もしくはそれに乗っかって自分を見失った大衆の狂気により、大きく危機を募らせてきた問題だからである。

二〇一九年九月、スウェーデンの十六歳（当時）の少女グレタ・トゥンベリさんが、「国連気候行動サミット」に出席の各国首脳を前にスピーチし、世界中から注目された。「人々は苦しんでいる。人々は死んでいる。全ての生態系は破壊されている。私たちは大量絶滅の始まりにいる。それなのに、あなた方が話すことはお金のことや経済発展がいつまでも続くというおとぎ話ばかり。恥ずかしくないでしょうか！」と切り込んだ。「三十年以上にわたって、科学ははっきりと示してきた。それに目を背けて、ここにやって来て、自分たちはやるべきことをやっていると、どうして言えるでしょうか。」と痛烈。「温室効果ガス排出量を十年で半分に減らしたとしても、地球の気温上昇を1・5度C以下に抑えるという可能性は五〇%しかありません。」とたたみ込み、「あなた方は五〇%でいいと思っているかもしれません。しかしその数字には、ティッピング・ポイント（小さな変化が集まって大きな変化を起こす分岐点）やフィードバックループ、空気汚染に隠されたさらなる温暖化、そして環境正義や平等性等の要素は含まれていません。」と、出されている気候行動計画の根拠そのものがいい加減であると指摘した。

グレタさんがこのスピーチで、「三十年以上にわたって科学がはっきりと示してきた。それなのに……」という叫びは、まさにその通りである。

というのは、一九九〇年に国連の「気候変動に関する政府間パネル」（IPCC）は、初の気候変動に関わる科学的知見としての第一次評価報告書を公表した。そこでは、二酸化炭素など温室効果ガスの排出が産業革命前（十九世紀初頭以前）に比して五割増加しており、このままでは二〇二五年の気温上昇が約1度C、二十一世紀末には約3度C上昇すると予測している。しかしそれから三十年、温室効果ガスは増え続け、二〇二五年を待たず気温はすでに二〇一八年時点で1度C上昇。この1度上昇だけでも、世界各地で百年に一度、五十年に一度といわれる豪雨災害や竜巻、猛暑、干ばつとそれによる森林火災等が多発、海水面上昇や海水温上昇による様々な被害が発生している。

こうした状況から、二〇一八年十月に、世界四十カ国九十一人の科学者たちの執筆によるIPCCの「1・5度C特別報告書」が公表された。同報告書では、二〇一五年に合意したパリ協定の今世紀末2度C以内目標を修正して、今世紀末1・5度C以内に抑えるよう提起している。そしてまた二〇一九年には「土地関係特別報告書」と「海洋・雪氷圏特別報告書」を公表。気温上昇による気候変動は、土壌劣化や水不足による農業への影響が甚大となり、穀物その他食糧不足や価格の高騰を招く。南極などの氷床が解け、海面が上昇し沿岸部都市や島嶼等が沈没・浸水等の被害が発生する。海水温上昇で漁獲量も激減し、永久凍土の融解で凍土に含まれる温室効果ガスのメタンが大量に放出されるなど負のサイクルが一層加速し危機は深刻であるとしている。

このように、地球温暖化は後戻りできない危険水域に入った。とてもではないが、今から三十年後の二〇五〇年に「二酸化炭素排出ゼロ」を達成すればそれで済むような状況ではない。なぜ人類社会はこのような事態へと至ったのか。それは工業化による経済の発展にとって必然的な、不可避の問題であったのか。否、である。

というのはすでに、今から五十年も前の一九七二年に国際的な環境団体「ローマ・クラブ」が「成長の限界」という考えを打ち出している。地球の資源・環境は有限であり、このまま環境悪化を放置すれば成長は破綻、制御不能になると警告した。また、同年ストックホルムで開かれた国連人間環境会議は「かけがえのない地球」「宇宙船地球号」などをキャッチフレーズに、環境問題取り組みの重要性を訴えていた。そして一九八八年には国連の「気候変動に関する政府間パネル」(IPCC)が発足し、前述のように一九九〇年に第一次評価報告書を公表した。また一九九二年にはリオデジャネイロで開催の国連環境開発会議(地球サミット)で気候変動枠組み条約や生物多様性条約の署名を開始し、一九九四年三月、一九九三年十二月にはそれぞれ発効するなど、温暖化や環境問題に対する取り組みの重要性は、大きなうねりとなっていた。

なお、付け加えれば、IPCCによる評価報告書は、一九九五年に第二次、二〇〇一年に第三次、二〇〇七年に第四次、二〇一三〜二〇一四年に第五次を公表し、人間活動が及ぼす温暖化の影響がますますはっきりし、気候危機は深刻であるとして、対策の緊要性を強調。その上に立って前述のように、二〇一八年十月に「1・5度C特別報告書」公表へと至ったものである。

このように、地球温暖化をめぐる問題については五十年以上も前から警鐘が鳴らされ、科学的知見によって明らかにされているにもかかわらず、未だに実行性のある取り組みがなされないままなのは、なぜか。時代的にこの間は、第二次世界大戦直後の冷戦から、冷戦終焉後の市場経済一色の時期に照応する。冷戦は、世界が東西に分かれて軍事的にも経済的にも対立・競争を繰り返す時代であった。また冷戦終焉後は、「社会主義に勝利した」と豪語する強欲資本主義の、まさに「自由」を振りかざしてのグローバリゼーションの時代であった。そこでは地球温暖化や環境破壊がどうであろうとそれは二の次三の次。無秩序な開発や経済成長が目一杯推進され、二酸化炭素等温室効果ガスの排出は増加の一途であった。そしてそれが二〇二一年の今日、温暖化がますます顕著になり、人類社会全体を引き連れて破滅の淵へと至っているのである。

ここまでくると、たとえそれが資本主義経済に主たる責任があるとしても、それを許してきた人間すべてに責任があると言わざるを得なくなっている。したがって資本主義の市場経済にブレーキをかけると同時に、地球温暖化阻止へ全人間が取り組まなければならないということになる。温室効果ガス排出をゼロにするばかりでなく、すでに排出されている大気中の二酸化炭素等の回収にも取り組まなければならない。それをなす上で必要とされる施策、行動形態、あるいは法的な仕組み等が生み出され、作られていかなければならない。そうした運動の展開上で、その展開の障害になるものは取り除いていかなければならない。

つまりそうした取り組みにとって障害となる現行制度を、改革しなければならないという問題である。前述した格差解消のための闘いもその一つである。地球温暖化対策と社会改革・世界改革が同時に、一体的に進められなければならない。それが現代である。

第四章　狂った政治が牛耳る時代の幕開け

◆全人間が取り組まなければならない理由

現代世界の特徴は、誰彼の区別なしにすべての人が、差し迫っている人類史的課題に取り組まなければならないということにある。それは老いも若きも、偉い人も偉くない人も、大金持ちも貧乏人も、男も女もすべてである。

すべての人が一斉に取り組むべきテーマは差し当たり、地球温暖化対策であり、巨大格差是正と貧困問題であり、食糧・水・人口問題であり、グローバルな大量消費社会との決別。さらには独裁的統治体制一掃であり、感染症対策であり、難民対策、平和の確保である。それには、これらの事象発生に直接責任を有するものばかりでなく、これまで何ら関わりのなかった人びとも含めて全員がなすことを必要不可欠とする。

しかしながらそうするためにはその理由、そうしなければならない理由が明らかにされなければならない。理由が明確にされ、しかもその理由が極めて深刻で衝撃的であればあるほど、それは人々の心を揺さぶり、単なる責任感や使命感にとどまらない、燃えるような闘志と情熱を掻き立てて、却って輝かしい未来図を描くことになるであろう。

一般に人間は保守的である。もしも現在、十分ではないにしてもそれなりに安定した生活が保障されているとするならば、これを乱すような動きに反発し、これを守る方向に意識が働く。それは生存本能の一形態であるかもしれない。ましてやかなりの富や財産の所有者であれば、これを守らんとする保守的性向が一層強くなるは必須であり、変革の難しさはいうまでもない。

だがしかし、一般的傾向としてはそうだが、それが絶対ではない。そうした保守的性向や保守的観念を凌ぐ、より幅広い人間的精神と知性の輝きが自らのうちに醸成されれば、自分自身を変革し犠牲にすることも決して不可能ではなく、困難でもなくなる。ましてや現在自分を支えている安定した生活基盤が、それが間接的であるにせよ、まともではない他者の不幸や理不尽の上に形成のものであることが明らかになったとするとき、現状への安住は却って苦痛になる。そこで自省の念を込め一念発起し改革に立ち上がるとするならば、むしろそれは自分自身のなかにあるハードルを越えることが喜びとなり力の源泉となって、より一層新たな段階に向かっての邁進を可能とする。そこに個々人の変革の可能性のみならず社会全体の変革の可能性、時代全体を改革する可能性の萌芽を見出すことができるかもしれない。

要は一にかかって、すべての人間が取り組まなければならないとする人類史的課題に、なぜにすべての人が取り組まなければならないかのその理由、それをどれだけ明確にできるかによる。もしくは、そうすることによってどれだけ人々の心を捉えることができるかにある。

◆決着つけるはずの政治が決着つけない時代

いうまでもないことながら、現代世界が抱えている人類史的課題は多種多様であり、一様ではない。一様ではないがしかし、その発生源を辿れば、かなりの程度共通する事柄に起因していることが窺える。それはなぜかというと、グローバルに世界中が揉みに揉んだ歴史の転換期を有しているからである。その転換期とは、十八世紀の産業革命をもって形成された資本主義社会が、十九世紀後半から二十世紀初頭にかけて、市場経済を基盤とする経済活動だけでは立ち行かなくなり、良くも悪くも政治の力をもってこれを突破せざるを得ない時代へと突入したことに端を発する。

つまり、資本の集中と独占があまりにも大きく進んで寡占化した結果、市場は硬直化し、従来的なしきたりによる経済活動では利潤確保が頭打ちになった。頭打ちになっただけでなく経済全体が混乱し出し、社会全体もまた殺伐なものになった。かくしてここから、政治の力をもってこれを強行突破する動きが活発化した。その一つが、今では多くの人に知れ渡っているところの帝国主義戦争の勃発である。植民地再分割などの侵略戦争で領土を拡張し、競合する企業を壊滅させ、一層の覇権確立に活路を見出そうとする凶暴資本主義。それはまた、国民の反抗・反乱を恐れて、権力総動員でこれを鎮圧する恐怖の体制を生み出した。同時にそれは、全国民を打って一丸として戦争等へ駆り出す暗黒時代の招来でもあった。

だがそれゆえに、それとは異なる政治勢力が大きく台頭した。かかる資本主義体制そのものをひっくり返して、新たな社会制度の確立を目指す革命運動が活発化したことである。その最たるものは、第一次世界大戦の最中に起きた一九一七年十一月のロシア革命（十月革命）であった。このロシア革命は当初、ロマノフ王朝支配の封建体制を打倒する民主主義革命であった。しかしそれが不可避的に資本主義体制と衝突することとなり、プロレタリアートと農民階級による社会主義革命へと転化するに至ったのである。同時にそのことは、世界各国の階級闘争を刺激し、各地で社会主義革命の闘争が高揚。世界はかくして、資本主義的市場経済の法則をもって維持される時代から、そうした従来ルールを守るためにも、国家権力を駆使して暴力的に行き詰まりを打開しようとする政治への依存が強まった。しかし他方、これを阻止して従来体制全体を転覆し新しい社会主義体制を構築しようとする政治闘争が活発化し、鎬《しのぎ》を削る革命・反革命の時代へと入ったのである。まさに政治と政治の闘いが命運を決する時代の到来である。

だが、しかし……である。ここで、社会主義革命が世界的に勝利するか、もしくはそれが全く敗北して消え去るか、さらには資本主義がその暴戻なる欲望を捨てて、元の単調な市場経済に戻って終わるかの、そのいずれかで決着したとするならば、ひとまず政治の力が飛びぬけて世界全体を牛耳る時期は終わりとなったかもしれない。ところがそうはならなかった。

どうしてかというと、その何れの形にも進まず、つまり決着がつかなかったからである。決着がつかないで終わったからである。だが、決着がつかないままに終わったということは、終わったことにはならない。言い換えれば決着ではない。

この奇妙な、決着ではない決着、終わりではない終わり、それが実はこれより以降、約一世紀をも支配する遠因となって現在をも拘束することになっている。まさにそれは、怪奇小説のモチーフにも似た、ある種の怨霊の祟りとでもいうべき奇っ怪現象である。

何がどうしてそうなったのか。分かり易く言えば……と言いたいところだが、しかしこの歴史的転換期の修羅像は、分かり易く言えるほど単純な代物ではない。そこには人類社会全体の未来を決するに足る、人間の全存在を懸けたところの凄まじい相克・暗闘が介在し、なおかつそれが未だに尾を引く形になっているからである。

◆ウソと誤魔化しが本質と化した政治の始まり

それは非常に凝縮していえば、政治が本来の〝まつりごと〟ではなく、事の真相を覆い隠し、ウソと誤魔化しを本質とするものに変わってしまったことにある。

もちろん、いつの時代でも、政治にウソや誤魔化しはつきものであった。それは、どのようにうまく取り繕おうとも、すべての人間を、すべての階級を、同時に満足させる政策などないからである。あちらを立てればこちらが立たずで、どうしてもどこかに差別やしわ寄せが生じ不平不満が残る。まして国の政治は、その国の支配階級のためにあるようなもので、それを押し通すには国家権力を用いての暴力も使うし、ウソや誤魔化しも欠かせない。だがしかしそうであっても、それがその政策一つ一つに関連し、それに必要なものとしてなされる場合にはまだ救いがあった。つまりウソをつかれ、誤魔化されている大衆の方も、それはウソで誤魔化しだということが、だいたい分かるからである。

だが、ウソをつかれ誤魔化されている大衆の方もそれがウソとは分からなくなり、さらには誤魔化しやウソをついている権力者の側もそうする以外に方法がないゆえにウソや誤魔化しをしているとなると、全く話は別である。それは権力そのものが、もしくは政治を司るもの自身が、誤魔化しやウソから逃れられないものになっていることを意味する。そこに時代全体が、必然的に真実に目を塞ぐことになり、したがって出口がなく堂々巡りとなる。言い換えれば政治的な〝閉じられた体系〟のなかで還流する以外にないという構図が生まれる。

〝閉じられた体系〟とはものの喩えではあるが、しかしその中での還流となると、いうまでもなく同じことの繰り返しである。同じことの繰り返しは、続けられれば続けられるほどそれは濁り、腐敗し、その器は劣化して、もしくは常軌を逸して爆発的になる。それを現代に当てはめてみるならば、その一つは市場経済の限度なき自由化とその拡大であり、あるいは何が何でも経済成長が至上命題とされていることであり、それに服従し媚び諂っての技術開発であり、どうしようもないまでの大量消費であり、つまりは欲望資本主義の満開である。それによる社会全体の腐乱である。そしてついには人類社会と大自然との分裂・衝突が収拾つかないまでに深まり、地球の許容限度を超えるまでに人間社会が暴走することである。当然そこに生き、そこで活動する人間は、事の是非善悪が曖昧になり、否、分からなくなり、不可避的におかしくなっていく。

どうしてそうなるのか。それは出発点をウソで固めてしまい、それから逃れられなくなっていることにある。逃れるためにはウソで固めて築き上げてきた全過程を見直し、作り変えなければならない。しかしそれは容易なことではない。かくして誰もが見直しに尻込みし、反対する。

ではそもそも、その出発点のウソとは何か。

それは一九二〇年代三〇年代、あるいは四〇年代、ソ連におけるスターリンの蛮行と政治手法を、言い換えれば「スターリン主義」なるものを、全世界の人間が断罪できなかったことに起因している。断罪できなかったばかりではない。世界の政治首脳、否、世界中の権威を有するものや知識人のほとんどが、そして資本主義諸国が、このスターリン主義を容認し、受け容れた。これはまさに、スターリン主義自体にとってもそうだが、容認し受け容れた側もウソと誤魔化しに徹する以外にないことを意味するものであった。そのようにして形成された世界がその後、何がどのように取り繕われ正当化されようとも、そこには信用するに足る道理や正義など存在しない。あるのは限りない虚偽、隠蔽、責任回避、そして謀略と暴力の連鎖であり、それに一役も二役もかうほかに道のない宿痾《しゅくあ》の政治なのである。
＊ちなみに革命ロシアは、一九二二年十二月、ウクライナ・ベラルーシ（白ロシア）・ザカフカー

スを含む四共和国が連合しソ連邦（ソビエト社会主義共和国連邦）を結成。さらにその後、第二次世界大戦での占領等を経て十五のソビエト共和国、二十の自治共和国に拡大。冷戦終焉二年後の一九九一年に消滅するまで続いた。

◆「社会主義をもって社会主義を否定」が根底に

ではその基となっているスターリン主義とは何か。その背景や経緯を省略してごくごく約《つづ》めて言えば、マルクス主義をもってマルクス主義を否定する、社会主義をもって社会主義を否定する、共産主義をもって共産主義を否定する、かかる想像だに及ばない、倒錯的政治手法ということになるのではないか。したがってそれはある種、マルクス主義の理論や社会主義・共産主義思想の一定の弱点に依存している。一定の弱点とは、理論上の未展開部分である。思想的には将来の創造的領域であるゆえに、確かなものとして思いめぐらせない部分である。それがアキレス腱となり、もしくはウイークポイントとなって、マルクス主義そのものを拘束し否定するに至った。

それは例えば、マルクス主義においては、いわゆるプロレタリア独裁という言葉に象徴されるように、革命により労働者階級や農民階級等被抑圧階級が支配階級に転化して政権を握り、それまでの支配階級に代わって国を統治するとされている。しかしここで言う独裁とは、誰か特定の個人が恣意的に権力を行使するというのではなく、それまでの支配階級であった資本家階級その他の反革命的行動を阻止するためになすことであり、最終的には社会全体に階級的区別がなくなるまで、したがって概ね階級が消滅して皆が平等になるまで、労働者階級や農民階級等による独裁的統治が続けられるということであった。とはいっても、では逆に、これまで抑圧されていた労働者階級や農民等が新たな支配階級の位置について社会を統治することが本当に出来るのか、何百万何千万の大衆がそういう座についてどういうふうに行動してそれをなすのか、そうした点については未経験であり、理論的にも見通せない問題がいっぱいあった。

もちろん、レーニン等が例えばその著書『国家と革命』の中で、いろいろと論じてはいた。その中には一八七一年、フランスのパリでおきたパリ・コミューン（自治政府）の例などが、その得難い歴史的経験として教訓化されていた。しかしそれよりも何よりも実際には、一九一七年ロシア革命の際の「ソビエト」（別名〝評議会〟。全国各地で自主的に結成された労働者・兵士・農民等の議論の場）が、その最も典型的で理想的な姿ではあったであろう。まさにそれは、大衆が目覚め、自立し、主体的に社会の在り方、統治の在り方に参画せんとする、創造的領域であったからである。

しかしではそのソビエトの生き生きとした姿は、革命が成功した後どうなったか。何百万何千万の人間が常に集合して議論し政策を決めていくなど不可能である。そのため結果的には、ソビエトから選出された代表メンバーにより実務が取り仕切られることとなったのである。その代表メンバーがボルシェビキ党（後の共産党）を中心とする人たちであり、それにより構成された革命政権であった。もちろん革命政権の構成も、総理大臣（首相）とか何々大臣というような名称ではなく議長とか何々人民委員としての任命ではあったが、しかし概ねそれは資本主義諸国の省庁構成と同様なものであった。ということは日常業務も同様に膨大なものであったのである。

否、それどころではなかった。旧体制を破壊して新たな行政を担う革命政権であるゆえに、これまでのそれよりも多事多難。臨機応変、即断即決は日常茶飯事で、特に的確な政治判断とリーダーシップが求められるものであった。したがって、内外の山積する問題に対応する共産党政治局は、毎日が手探りで激論に次ぐ激論の連続。政権の中枢がそうであると同時に、十月革命を担った圧倒的多数の大衆がそれにどう関わるのか、そのことがまた難問。何しろ内外の反革命勢力と闘いつつ、旧い機構やしきたりを改革し、そして破壊されている経済を建て直し、皆が食べていけるようにしなければならない。

ロシア革命から生まれたソ連は、元々が後進国で近代工業のための人的・物的資源も乏しく、ゼロからのスタートというよりもある種マイナスからのスタートであった。そうしたハンデを抱えたなかでの社会建設。その事業に圧倒的多数の人民が主体的にどう関わっていくべきか。それはまさに試行錯誤、悪戦苦闘の連続で、これから全員で創り出し生み出していくべき領域であった。予めその指針となるような理論もモデルもあるわけではなかった。そこに陥穽があった。

というのはまさにそのように、圧倒的多数の人間がどのように様々な課題に関わって行動すべきかの創造的領域が胸突き八丁である一方、社会主義の理論体系には国有化計画経済の推進が既定のコースとして明確化されていることである。それが悪いと言うわけではない。ただしかし、国有化とか計画経済といえば、それは国家の関与事項である。国家の関与とは、言い換えれば権力の行使である。人民の自主的な政治への関与の仕方などが、いろいろと未形成未成熟な中で、国有化とか計画経済の問題など国家権力の行使に関わる事項の方が予め明確にされているということは、ややもすると人民を押しのけ、もしくは人民の頭越しに計画が実施され兼ねないことになる。つまり、国家権力が人民の自主的行動に先行して目標に向かおうとし、政権中枢にある特定の人間が主導するということになる。

断っておくならば、そもそも国有化計画経済は社会主義のトレードマークのように捉えられているが、それは逆に言えば資本主義社会の必然的産物なのである。市場経済を反面教師として生み出された、資本主義経済行き詰まりゆえの所産であった。つまり自由な市場競争が、それが進めば進むほどグローバルに組織化されて社会全体を支配し、したがって市場の社会的性質が強まっているにもかかわらず、その市場は特定の資本家の私的な利益目的から逃れられなくなっている。巨大資本の利潤獲得の場である。かくしてそれは、全社会的な性質のものであるにもかかわらず、社会全体の利益に奉仕するのではなく、それに反して運用される。そこでその矛盾ゆえの行き詰まり打開のため、それをそっくり社会全体の所有（国有化）にし、無政府的にではなく計画的に管理運営することが、一番合理的で効果的である。それが社会主義の国有化計画経済の立論の基礎であった。

もっともである。だがここに一つ欠けているものがある。それは、人間の問題である。確かに経済合理性としては間違いでなく、整っている。しかしそれを担う人間、つまり人民は、どう関わるのか、本当に全員が「人生意気に感ず」の気概で自主的・主体的に創意工夫を凝らしつつ動き働くのか、それとも政権から指示された目標と計画に従ってただ黙々と従事するのかの、その問題である。もしそれが後者であれば、仮に結果として経済がうまくゆき、ある程度の豊かな社会が実現されたとしても、真の人間解放とは言えない。それは、「全員のための経済」という名目での国家権力による統制社会でしかなく、人間解放が真の目的であるとする社会主義に反する。

単なる経済的豊かさというような点でいえば、資本主義の経済論においても、自由な市場経済の方が競争を通じて経済を成長させ豊かにし、ひいては人間全体を幸せにするという効能書きや宣伝文句が幅を利かせていた。ただその効能書きや宣伝文句には、その過程での諸個人の尊厳や主体性形成の問題はテーマにならず、いうなれば問題外であった。つまり人間は経済成長のための道具でしかなく、人間軽視であった。

社会主義体制の社会にあっても、国有化計画経済という政策が、それを担う大衆の意欲、つまり主体性自主性など人間の在り方がどうなっているかの問題に先行し、それを置き去りにして実施されるとなると、結果的に資本主義と変わりないことになる。それは社会主義が社会主義の綱領をもって社会主義を否定するという関係になる。本節の前半で、スターリン主義とは何であるかを要約して、「マルクス主義をもってマルクス主義を否定する、社会主義をもって社会主義を否定する、共産主義をもって共産主義を否定する」と定義づけたが、それは以上の理由に基づいている。かくしてそこでは人民は、ないしは国民は、新たな制度の中ながら依然として支配される地位に、つまりは奴隷の地位にとどまらざるを得なかったのである。

一九三〇年代四〇年代、資本主義諸国の首脳や権威ある知識人らが、スターリン主義を断罪せずにこれを容認し受け入れたのも、そうであればこそであった。つまり、大衆全体、国民全体が永遠に支配される存在としてある限り、政権は安泰、支配階級は安泰だからである。

◆未だ死語という訳にはゆかないスターリン主義

因みに、スターリン主義とは、一九一七年のロシア革命で生まれたソ連を、一九二四年頃から一九五三年までの約三十年間に亘り独裁統治してきたスターリンに因んでの命名であった。だがそれは、どちらかというと社会主義政党など左翼勢力内の隠語として発生のものであり、いうなれば〝業界用語〟ではある。

したがって、二十一世紀の今日では、この言葉そのものを知る人は少なく、半ば死語になっている。だがその死語が、それ相応に総括され評価されて、つまりそれによってもたらされた世界史の恐るべき歪みが是正されて不必要になったがゆえであれば、それはそれでよいであろう。しかし歪みは是正されていないばかりか、歪みの是正を阻むために死語にしようとするのであれば、別問題である。それは必要に応じて、どうしても使用せざるを得ない。ただしその使用は、隠語としてでも業界用語としてでもない。それは現代世界解明のカギとなる、いわばキーワードとして、である。

繰り返しになるが、世界史上、革命と呼ばれるものが何百何千とある中で、たかがロシア一国の革命が何故にそこまで問題となるのかは、この革命が一国の革命であって一国の革命でなかったことによる。世界はすでに圧倒的に資本主義体制になっていた。もちろん、資本主義ではない、前世紀的な体制の国や地域も数多くあった。しかし資本主義的経済制度は世界の主流で、圧倒的な支配力を有し、いずれ他の後進的諸国もその制度に組み入れられるのは必須であった。その資本主義の流れに対して、ロシア革命は一国でありながら根本的に対立し、これらをひっくり返す挙に出たのである。

それは一八六四年設立の第一インターナショナル（国際労働者協会）と、一八八九年設立の第二インターナショナル（各国の社会主義政党・労働組合の連合組織）の歴史を引き継ぎ、世界資本主義全体に対する闘争宣言であった。しかも、ロシアという国一国だけの問題ではないもう一つの理由は、一九一九年には第三インターナショナル（別名共産主義インターナショナル、略称コミンテルン）を結成したことである。つまり、現実に世界各国にその支部としての共産党を組織して国際革命を推進することとし、その盟主としての役割を担うものであったからである。

したがってその帰趨がどうなるかは、世界全体の問題であり、ロシア一国の問題ではなかった。ましてやそれが、直ちに決着がついてしまえばまだしも、決着がつかないままに、世界全体を変質させて現在につながっているとするならば、事は重大この上ないことになる。そしてその変質要因と化しているのが、他ならぬスターリン主義であるのだから、世界全体の問題なのである。

◆スターリンはいかにして政敵を葬ったか

まさに、人類史上最大の欺瞞と恐怖の嵐ともいえるスターリン主義。それは、これまた人類史上最高ともいえる人間知性を完膚なきまでに打ち砕く反動であったがゆえに、その捏造と謀略、その残虐、その狂気において、これに勝るものなしであったのである。

そのスターリン主義形成の兆しは、ロシア革命後四〜五年を経過した一九二三年頃のソ連政権内で生じていた。この時期レーニンは脳溢血で倒れ病床にあり（一九二四年一月死亡）、同じくレーニンと並ぶロシア革命の指導者であったトロツキーも国内各地の反乱鎮圧等で駆けずり回り中央を留守にすることが多かった。かくして党の実務は書記長であるスターリンが取り仕切っていた。書記長職というのはいわば事務方役で、必ずしもリーダー格ではなかったが、しかしその動きいかんによっては、権力が集中する。人事を司り、裏工作も手掛ける。そのおこぼれに与ろうと諂《へつら》うものも出てくる。ましてやその当人が、根が陰険で策略に長け、権力に妄執を抱くものであるとなると、その先どうなるかは推して知るべし、である。

スターリンがそうであった。レーニンが死に臨んで「スターリンを書記長の地位から外せ」と遺書したのも、そうした危険を察知したからであろう。さらにはスターリンを書記長にしたことがいかに大きな間違いであったかを悔いてのことであった。だが、いずれにしてもそれは遅かった。この遺書が出された時にはすでに、スターリンに真っ向から辞任を迫る人間は、党の最高機関である政治局に一人もいなかった。レーニンの遺書は政治局メンバー内の回覧にとどめ、公開しないことにした。ただ一人の政敵トロツキーでさえも、その件で公然とやり合う気にはなれなかった。

一般に物事は、新たな問題に立ち向かうよりも、難問は避けて現状維持に徹する方が好まれる。水は低きに流れる。しかもその過程で自分の足場を固め、自分だけは得をするような工作をするとなると密かな喜びも増し、同調者も多くなる。人間の弱さである。そしてその弱さが権力に結びつくとき、権力が過大に行使され、私物化と乱用が常軌を逸したものになる。

この時期すでにソ連は、革命直後の混乱を、まさに強権的政治によって一定程度収拾し、相対的な安定期に入っていた。もちろん、食糧やその他の生活物資は依然不足し、住民の様々な反発、抵抗は絶えることがなかった。少数民族の政権に対する不満も渦巻いていた。とはいえども、革命政権による統治体制の骨格は概ね固まり、これを転覆出来るほどの反乱勢力は姿を消していた。

さらに幸いなことに、国際的にも一時期見られた革命政権打倒の策動が、かなり沈静化していた。一九一八年の暮れから一九二二年にかけてソ連国内に派兵していた日本や、米・英・仏などの反乱支援軍隊も、その目的を達し得ず撤兵し、あとは今後のなりゆきを見守る姿勢に転じていたからである。もっとも真の事情はそれよりも、資本主義諸国内部が深刻であったことである。第一次世界大戦による荒廃の痛手から立ち直り切れず、国内の革命闘争にも悩まされていた。ソ連への干渉戦争どころではなかったのである。

ソ連がこのように息つく間を持てたということは、半ば実務を任されていたスターリンにとって、彼なりのいろんな画策により足場固めをする上でまたとない時期でもあった。レーニンは病床にあるし、トロツキーは全体を展望する上では有能だが、組織内部の些末な事柄はどちらかというと不得意で、任せっきりであった。十月革命を担った他の錚々たる幹部連中も、たとえばカーメネフやジノヴィエフ、ブハーリンにしろ、有能ではあるがイザとなると単独では信念を貫き通せない弱さがあるなど、スターリンにとっては決して手強い存在ではなかったのである。

そこで、レーニンが病床にあり頭上の重しがなくなったスターリンは、カーメネフやジノヴィエフを誘って、政治局の中に党中央委員会の最高執行機関なるものを設立した。このトロイカ（三頭政治）結成は、彼にとってもう一つの重しとでもいうべきトロツキーの力を削ぐためのものであり、一九二三年、レーニンの病気再発を境に公然と動き出した。その旗印の一つが「一国社会主義論」であった。

というのはこの時期、もう一つの要因として、ソ連がその命運を託しているヨーロッパ等他国の革命が成功せず孤立状態が長引くことから、大衆の中に疲労感が出て、後退的気分が広がっていたことである。スターリンはこうした後退的気分を巧みに利用。そこで、ソ連一国でも社会主義の建設が可能で、他国の革命に頼る必要がないとする「一国社会主義論」を取りまとめ、一九二五年に公表した。

だが、国際革命への依存なくしてソ連一国だけでは社会主義は不可能だとは、レーニンを始めとするそれまでのボルシェビキ党の、いわば神髄であった。中でもトロツキーは早くから永続革命論（世界革命論）を唱道。後進国ロシアが革命により社会主義的政権を樹立したにしても、ヨーロッパ等先進国の革命が勝利しなければ、そしてその支援を得てでなければ社会主義社会への移行は不可能だと論じていた。しかしスターリンは「そうではない」として大衆を安心（？）させ、逆に国際革命の重要性を説くトロツキーを、公然と批判するようになったのである。

そのため、このようなスターリン派の党運営に危機感を抱く党員も多く、かくしてトロツキーを支持する六十名あまりのボルシェビキ＝レーニン主義者が左翼反対派を結成したのだが、この左翼反対派を壊滅させるための謀略と迫害が表面化していくのである。

当面する国内政治の対立点としては、農業政策と工業化計画をめぐる問題であった。トロツキーは早くから、農民が生産性を上げ貧困から脱するには、農業の集団化が必要だと主張していた。ただしそれには、鋤き鍬や牛馬に頼る労働ではなく、トラクターの導入など農業の機械化が不可欠であり、工業を発展させて農業機械を提供できるようにしなければならないと論じていた。そのため、工業の発展を始めとする経済五カ年計画の策定を急ぐべきだと提唱。しかしスターリンらはむしろ、すでに形成されつつあった富農層への依存に固執し、左翼反対派の五カ年計画などはユートピアだと罵倒。何しろ当時、経済の五カ年計画など、どこの国でも実施された試しがなかったからでもある。

経過としては、ソ連は革命直後、極端に食糧事情が逼迫し都市住民が飢えることから、一九一八年より「戦時共産主義」と銘打って農民から強制的に食料を買い集め配給していた。しかしこれには農民の抵抗が強く、逆に生産がサボタージュされ生産量が低下。そのため一九二一年にこれを止め、「新経済政策」（ネップ）へと転換した。農民が余剰農産物を自由に販売することや中小企業が自由な市場活動で利益を確保することを認め、限定的ながら資本主義的市場経済への復帰がなされたのである。それにより経済全体は一定程度好転した。ただし農村では富農（クラーク）の力が強まり、農村ソビエト（評議会）などにおける富農の発言権が増大。貧富の差は拡大し、状況が革命以前に戻りつつあった。しかしスターリンらはこの流れに乗り、ブハーリンを理論的支柱として、富農が富めば経済全体がよくなり徐々に社会主義へと成長移行するとの論理立てで、なんと農業課税を富農には軽く貧農には重くするなど、富農庇護政策推進に舵を切ったのである。

しかしこれにはさすがに、古参ボルシェビキなるカーメネフやジノヴィエフらも愕然。そのため一九二五年の第十四回党大会後スターリンと決別し、翌年、自分らの支持者と共に、今度はトロツキーらの左翼反対派と合流して合同反対派を結成した。ところがこれに憤激したスターリンは、一九二七年十二月の第十五回党大会でカーメネフ、ジノヴィエフをトロツキーとともに、反党行為を理由にして党から除名することを無理やり決議した。

だがあろうことか、これに恐れをなしたカーメネフやジノヴィエフは、自らの過ち（?）を認めて降伏し、一般党員として再入党を懇願する始末。

それとは反対に、除名に断固抗議するトロツキーは、そのゆえに翌一九二八年一月、極寒の地・アルマアタに流刑となった。そしてこれより以降トロツキーは、一九二九年二月にソ連から追放されてトルコに亡命。一九三三年七月にはトルコから追われフランスに渡り、ここも追われて一九三五年ノルウェーに移動。さらに一九三六年十二月にメキシコに追放され、一九四〇年八月に暗殺されるまでの計十二年余りの亡命生活の間、スターリン指揮下のゲ・ペ・ウ（秘密警察）の執拗な迫害に抗して、マルクス主義と社会主義の再生に全力を傾けることになるのである。

だがスターリンにとって、政敵を蹴落としたからといって、それだけで権力掌握が確実になるわけではなかった。つまり権力闘争による勝利だけでは、単なる一国家の独裁者に過ぎないからである。世界の共産党と、マルクス主義・社会主義の総帥としては不十分だからである。そこでスターリンが反転攻勢に出たのはクラーク（富農）との闘争と、経済の五カ年計画の策定、そして農業の集団化強行であった。

きっかけは、それまでの富農庇護政策で強大化したクラークが、党中央によるトロツキーの流刑処分等に一層勇気づけられ、革命以前の状態に戻らんとする動きを示したことにある。スターリンはそうした動きに危険を感じ、それまでの富農庇護政策をブハーリンやルイコフ、トムスキーらの責任に帰して、軍隊を派遣して富農・中農から穀物を徴収するなどの攻勢に出た。

そして続いて、一年前まで激しく罵倒していたトロツキーの五カ年計画案を真似てこれを突如採用。一九二九年五月に、何の根拠も示さずに、工業の生産手段生産を五カ年で二・五倍に、消費財生産を二・二倍に、農業生産を一・六倍に引き上げることを指令した。しかもさらに、五カ年を四カ年で達成せよとするなど、国家権力を総動員して重労働を強制。現場での悲鳴や抵抗にはテロが差し向けられるなど、あらゆる弾圧手段がとられた。

農業の集団化も、酸鼻を極めた。富農庇護政策から一転し、抵抗する農民を次々とシベリアに放逐。一九二九年から一九三一年にかけて農場の六十％以上が集団化された。それが一九三六年には九十％に達した。二五〇〇万人の農民が二十四万のコルホーズ（協同組合方式）やソフホーズ（国営農場）に組織されたのである。しかしこの狂人的な強行政策の結果、各地で農民は生産を拒み、家畜を引き渡すよりも殺す方を選んだ。スターリンはこれに対し、農民の大量射殺と追放をもって臨み、農業生産は一時壊滅状態になった。このため、一九三二年に起きた広範な飢饉では、数百万の農民が死亡したといわれる。

にもかかわらず……である。皮肉にもこれが、スターリンの独裁体制を強化し、マルクス主義と社会主義の庇護者としての地位を高めることになったのである。まさにそれは、前述したところの、マルクス主義をもってマルクス主義を否定し、社会主義をもって社会主義を否定するという、反革命的革命を地で行くものであったのである。

というのはこの大転換により、これまでスターリンに迫害され、追放の憂き目に遭っていた左翼反対派の多くが、スターリンのやりかたは乱暴で冷酷だが社会主義（国有化・計画経済）から逸脱していない、十月革命の成果である労働者国家を守っている、と認識を訂正。であれば、ソ連を守るためにスターリンに歯向かうべきではないと、次々と左翼反対派を離脱し、復党願いを出す始末。もっとも、そうはいってもこれらの人達も後に、あらぬ罪科を着せられてスターリンにより処刑されてしまうのだから、何とも哀れではあるが、それはともかくとして、このことは社会主義者にとって国有化や計画経済というキーワードが、いかに犯し難いドグマ（教理）となっていたかを示す、その典型的事例ではある。

以上のことは他方でさらに、それまでトロツキーの主張を支持し、スターリンに批判的であった世界各国の共産党にも影響を与えることになった。資本主義との闘争を掲げるこれらの党にとって、スターリンが国有化や計画経済など社会主義的政策を遂行しようというのであれば、何としてもこれはソ連を擁護しなければならないとして、基本的にスターリン支持へと節を変えていくのである。つまり、社会主義をもって社会主義を否定する、そのネットワークが世界中に広がったのである。

◆世界大恐慌がある種プラスに

しかもこの時期、資本主義諸国が大不況に陥ることになった。アメリカでは、一九二九年十月二十四日の「暗黒の木曜日」で知られる、ニューヨーク株式市場での株価大暴落をきっかけとした大恐慌が出立。恐慌の山場は一九三三年三月であったが、一九二六年の物価指数を一〇〇とすると、卸売り価格は六五・九。数百万人の投資家がこの間に財産を失い、数万の会社が倒産した。約五千の銀行が閉鎖され、約九百万人の預金口座が役に立たなくなった（村瀬興雄責任編集『世界の歴史⑮』中公文庫）。かくして物は売れなくなり、工場や会社は次々と倒産し、労働者が職を求めてさまよい、あらゆる経済活動が停止。

アメリカのこの景気悪化と混乱はヨーロッパ諸国にも伝播し、世界大恐慌へと発展した。一九二九年から一九三三年にかけてのこの恐慌で世界の失業者は五千万人にのぼり、国民所得は四十％以上も減少したといわれる。そのため、世界市場は収縮し、経済のブロック化が進行。〝経済のことは市場に任せておけばよい〟では済まなくなり、政治の役割が突出して大きくなった。その一つがアメリカのニューディール政策。有効需要創出へ、テネシー川流域開発など巨額の財政を投入し、公共事業の拡大や様々な産業振興策が実施された。そしてそれが後の「賢明に管理された資本主義」を説くケインズ主義重用へとつながることになったのである。

他方、資力に余裕のないヨーロッパ諸国、中でもイタリア、ドイツ、フランス、スペイン等では、ファシズム勢力が大きく台頭し、社会不安が増大。ここから、ドイツではヒットラーが政権を掌握し、第二次世界大戦へとひた走ることになった。しかもそのヒットラーとスターリンが、あろうことか一九三九年八月、ポーランド分割密約を含む独ソ不可侵条約を結び提携を確認。その手助け（？）を得てヒットラーがその八日後の九月一日、直ちにポーランドに侵攻し第二次世界大戦の火蓋が切られるという、何とも破滅的なスターリン外交の出現となったのである。

資本主義諸国の中には、この世界大恐慌の時期、欧米諸国と違ってソ連が不況を免れ工業等の発展をなし得たのは、ソ連経済が資本主義市場との関係が薄かったことに加えて、もう一つは計画経済の威力によるものでは……との見方も出された。だがしかし、その計画経済。それは恐怖の強制労働と血の弾圧の数々により達成のものであり、それを見逃して成果を論ずるは言語道断であろう。

しかもスターリンの独裁体制は今や、トロツキー等反対派を葬るだけでなく、昨日までの忠実な部下であれ何であれ、根拠のない罪状を着せて投獄・処刑するなど、すっかり見境がなくなっていた。その見境のない狂気が他方で、自分の身を守るためならファシストのヒットラーとの提携も厭わないという、奇想天外、無節操な外交となって現れたのである。否、ある種、スターリンにとってヒットラーは、権力への階段を登るその上り方において、決して異質ではない、むしろ同志的連帯の対象でさえあったのである。

もっともそのゆえにスターリンは、後にそのツケを払わされることになる。それは、独ソ不可侵条約締結の二年足らず後の一九四一年六月、ソ連は突如ドイツ軍の侵略を受けて敗走に次ぐ敗走。二千六百万人にものぼる史上最大の戦死者を出すなど、ソ連邦滅亡の淵に立たされたことである。かくして今度は〝背に腹は代えられず〟とばかりに、イギリス、アメリカに武器供与などの支援を要請し、辛うじて全滅を免れるという巡り合わせではあった。

◆フルシチョフ秘密報告と「共同正犯」

時代は下るがスターリンの死後三年を経た一九五六年二月のソ連共産党第二十回大会において、フルシチョフ第一書記がスターリンの行状に関する秘密報告を行った。それによると、スターリンによる大量弾圧と残忍な行為は、一九三四年のキーロフ暗殺以降、特に激しくなった。中でも一九三七年から一九四一年にかけて自分自身の猜疑心と他からの中傷で多くの軍司令官や政治家を殺しており、そのため軍内部も著しく病み、荒廃。とてもではないが、ヒットラーの侵攻に抗して戦える状態ではなくなっていた（フルシチョフ報告、西原五十七訳『十月革命の四十周年』日月社）。

加えて驚愕的なのは、一九三四年の第十七回共産党大会で選出された中央委員と中央委員候補の合計一三九名のうち九十八名（七十％）が、「資本主義の手先」とか「トロツキスト」「人民の敵」などの罪名捏造で一九三七年から一九三八年までの間に逮捕、銃殺されたというのである。さらにまた、中央委員会メンバーのみならず、同大会に出席の票決権または諮問権を持つ代表一九六六名のうち、その過半数を超える一一〇八名が反革命等の廉《かど》で処刑された（前掲書）。

これは、いくらスターリンが猜疑心の塊となり気が狂っていたとしても、国家としてどうしてこのようなことが罷り通ったのか。フルシチョフは、スターリンへの個人崇拝が昂じ、怖くて誰も諫めるものはいなかったと釈明しているが、個人崇拝云々で説明できることではないであろう。

一つだけヒントらしきものを言えば、レーニンが未だ病気で倒れる前の一九二一年、「党は、詐欺師、官僚化したもの、不誠実な連中、頼りにならない党員によって占められており、これらを一掃しなければならない。」（K・テイラク著、トロツキー研究会訳『国際共産主義運動略史』社会経済研究会）と危機感を募らせていたとのことだが、そうした点と無関係ではないであろう。権力者のもとには蜜に群がる蟻のように、いろんな人間が擦り寄ってくる。右もいれば、左もいる。様々なあぶれ者もいれば、ごろつきもいる。詐欺師ばかりでなく盗人や殺人犯などの前科者もいる。書記長のポストに就いたスターリンが、党勢拡大の名のもとに、これらの中から自分にとって都合のよい、自分の言うことなら何でも聞く、そうした人間を特に選んで入党させ、いうなれば彼の〝私兵〟となる者を、いろんな分野やいろんな部署に潜り込ませていたとしても、不思議でない。それを使ってこうした大量虐殺を準備し執行したというのなら、辻褄が合う。

そうでなければどうして、他の多くの幹部がその詳細を知らない間に、昨日までの幹部なり、昨日までの同志なりを、何百人何千人も逮捕し処刑することなど出来ようか。しかもフルシチョフがこの報告の中で挙げた数字は、中央委員もしくは大会代議員に限っての、いわば幹部クラスの人数である。ということは、その背後で、もしくはその周辺で、さらに何万人もの党員やその他の人間が処刑されていると見るべきである。事実、同報告でフルシチョフは、スターリンによって処刑された者のうち、「五四年からこの時までに、最高裁判所の軍法会議は七六七九名の名誉を回復した」と語っている。

ちなみに、ヒットラーのホロコーストは、ユダヤ人という民族が標的であるから、一斉に対象を絞ることが容易であったろう。だが、スターリンの粛清は、そういう客観的な、誰の目にも見える基準によってのことではない。一人ひとり、いつ誰がどういうふうに人民の敵となり、トロツキーと連絡をとってトロツキストになったのかが直ちに分かるはずがないのに、それがある日一斉に判り、公的機関の取り調べがないままに処刑されている。

このことは、すでにしてソ連国家は、その組織的体制において、労働者国家でも社会主義国家でもない、全く異質なものに変質し、支配されてしまったことを示すものである。それは大衆全体が、マルクス主義・社会主義を最高の知性として信じて、もしくは信仰し、それから逃れられなくなっているにもかかわらず、その通りに実践できないことによる負い目と焦りの、一つの逆転現象を基盤にしているものといえる。つまり、マルクス主義・社会主義を理想通りに実践するというのではなく、これを最も安易にかつ粗暴に駆使することで自らの負い目を帳消しにする倒錯と転倒が、一般化したことである。否、単なる転倒ではなく、自らが付いていけないことから逆に、反射的にマルクス主義・社会主義の理想に対する復讐への塊と化してしまったということである。その変化を巧妙に、狡猾に、かつ冷酷に組織したのがスターリンということになる。

もちろんまだまだ沢山の人間が、スターリンのかかるやり方に反対はしていた。そして多くの人が抵抗し、獄舎に繋がれ、拷問を受けていた。だが圧倒的多数の人民は、マルクス主義と社会主義の真の理想に付いていけないとすれば、一層あらっぽくこれを否定する以外になかった。マルクス主義をもってマルクス主義を否定する、社会主義をもって社会主義を否定する、である。それはある種、「共同正犯」である。独裁者スターリンとの共同正犯である。それにより誰もスターリンほど得をしていなくても、否、圧倒的多数の人は被害者でしかないのだが、しかし一旦共同正犯になったとなると、最早逃れられない。せいぜい沈黙し、結果的に容認する以外にない。スターリンがどのように酷い虐殺を繰り返したとしても、見ざる聞かざるで、ジーっと耐える以外になくなっているということであろう。

何しろこの共同正犯に関わる事項は、通常の社会生活で生じている犯行と違って、人類史的命題、世界史的命題に関わるものである。そうであるゆえに、それはすっかり人間を変えてしまうほどの重さを有している。というのは、社会主義革命に盛り込まれている人類史的命題の重要性は、多くの人がロシア革命の過程でいやというほど聞かされていた。それが分からないわけではなかった。したがってそれを踏みにじったという自覚は、まさにただ事ではない。その罪の重さにどう耐えるかが、生きる上で精一杯になった、ということであろう。

スターリン体制の確立後、ソ連はなお社会主義国家か、それとも堕落した労働者国家か、否、国家資本主義だ、あるいは官僚制集産主義国家だ、さらには赤色帝国主義だなどの議論が、多くの社会科学者や評論家の間から出されていた。だがそういう既成の概念で、つまりどういう階級が、どういうふうに支配し組織しているかとか、経済の仕組みや制度がどうであるかなどのカテゴリーでもって規定することは、およそ意味をなさないということであろう。既成の国家概念にはない、歴史的に形成された知性と思想の甚大な破壊と蹂躙の体制、それを容認する独特の意識、しかも罪の意識に支配され、逃れられなくなっている社会だからである。それは、これまでの社会科学には存しないテーマである。

◆モスクワ裁判と「デューイ委員会」

一九三七年三月、アメリカ、イギリス、フランス、チェコスロヴァキアなどのトロツキー支持者でつくるトロツキー擁護委員会は、前年八月と当年一月に行われたモスクワ裁判を逆に裁く合同委員会を組織した。「ジョン・デューイ調査委員会」である。ジョン・デューイ氏を議長に、九名の委員と法律顧問一名を含む計十一名での構成であった。

この委員会は、スターリンによる大粛清の嵐の中、名の知れたソ連共産党幹部が多数法廷に引き出され、国外に亡命しているトロツキーとその息子のセドフの指令によって、テロや国家の転覆を企んだとする証言に対し、これが全く事実無根で、有り得ない偽証と捏造であることを内外に示さんとするものであった。

トロツキーは当初、かかる調査委員会を、フランスその他のヨーロッパのどこかで開催することを模索していた。しかし、いずれの国においても、その国の共産党の妨害や、ソ連との関係悪化を懸念する当該政府等の反対で実現できず、結果的に亡命先のメキシコと国境を接するアメリカのジョン・デューイ博士が引き受けることになった。ただし、トロツキーのアメリカ入国は政府当局により拒否されたことから、実際の聴聞会はメキシコ国内でとなり、一九三七年四月十日から八日間、十三回（延べ四十時間）に亘り開催された。

ちなみに、デューイ氏はコロンビア大学名誉教授で、アメリカ第一流の哲学者であり教育者。また「ソ連の友」としても知られていた。しかも、アメリカ・プラグマティズムの指導者的存在であり、マルクス主義や社会主義には反対であった。ましてや、ロシア革命の指導者であるトロツキーには大いに批判的。それなのに、何がゆえにかかる調査を引き受けたのか。しかも齢七十八歳と高齢。にもかかわらず、周辺の強い反対や、共産党関係者や新聞等の批判、さらには脅迫や罵倒の洪水を押し切ってこの任に就いたのは、プラグマティストとして真実を見極めずにはおかない強い正義感と固い信念であり、まさにその面目躍如であった。

その心境をデューイ氏は、同委員会開会の冒頭挨拶で次のように締め括った。「私自身は教育の仕事に生涯をささげてきた。教育とは、社会の利益のために一般の人々を啓発する仕事である。私が今この責任の重いポストを引き受けてここにいるのは、もしそうしなければ自分のライフワークに対して偽ることになるからである。」（The Commission of Inquiry into the Charges Made against Leon Trotsky in the Moscow Trials 編著、梓澤登訳『トロツキーは無罪だ！――モスクワ裁判〈検証の記録〉』現代書館）。まさにそれは、全生涯の真価を懸けての気概であった。

もっとも圧力や批判は、デューイ調査委員会に対してばかりではなかった。トロツキーがこうした形で証言の場を設けることに当初、トロツキー支持者や、これまで親交のあった文化人などからも疑問の声が上がった。モスクワ裁判があまりにも事実無根のでっち上げであることは、知る人ぞ知る、である。それを今更逐一反証することが、スターリン主義に対する闘争としてどれだけ効果的か、トロツキーには他にもっとやることがいろいろあるのではないか、と。だがトロツキーは疑問に答えて、スターリンとの闘争にとってだけの問題ではない、後代の歴史にとっての重要性であり、社会主義革命とソ連邦の名誉にとって重要である、として譲らなかった。

加えてその準備には、何事にも完璧を期さなければ済まないトロツキーの性格からして、反証への証拠集めなど作業が膨大。関連するいろんな新聞記事を調べるとか、自分はもちろん関係するいろんな人の行動記録を整理するなど秘書らを督励して、微に入り細に入り、念には念を入れての証拠整理へ、全精力の投入となった。

このモスクワ裁判なるものは、第一次が一九三六年八月のジノヴィエフ＝カーメネフ裁判（被告十六名）で、第二次が一九三七年一月のピャタコフ＝ラデック裁判（被告十七名）。トロツキーとその息子のレオン・セドフは国外追放の身のため弁明の機会も与えられず、いずれもこれら多数の被告らを陰で操りテロや破壊工作をした主犯であるとされた。トロツキーは裁判が伝えられるたびに、自分を送還して証言させよ！　とソ連政府に要求したが、それは無視されて欠席裁判。そのような経緯から、無罪証明のための公開の場を設けることとなったのである。

アイザック・ドイッチャー著『追放された予言者・トロツキー』(新潮社)には、この裁判なるものの様子が生々しく描き出されている。それは、あまりにも虚偽・捏造に満ちた、かつ気違い沙汰そのもので、酷薄・苛烈を極め、言語に絶するものであった。検事総長のヴィシンスキーが、すでに拷問で打ちのめしている各被告との間でのリハーサルを経て演じているとしか思えない、何とも惨め過ぎる、自白に次ぐ自白のシーンであった。

《ジノヴィエフ＝カーメネフ裁判》

たとえば第一次裁判ではまずカーメネフが、「君が以前、党に対する忠誠を表明したのは誤魔化しだったのか?」との尋問に答えて、「われわれは誤魔化しよりももっと悪い裏切りであり、裏切りよりももっと悪く反逆した。われわれはファシズムのために働き、社会主義に対して反革命を組織した。……これは軽蔑すべき裏切りの落とし穴です。」と、まさに土下座せんばかりの懺悔の繰り返し。レーニン子飼いの弟子で、一時はスターリンとトロイカを組んで政権を担ったそのカーメネフが、である。

続くジノヴィエフの証言は、さらに輪をかけて悲惨なものであった。「わたくしはスターリン、ヴォロシーロフ、その他の指導者たちの暗殺を目的とした〈トロツキスト・ジノヴィエヴィスト・ブロック〉の主要な組織者という罪を犯した。……私はトロツキズムを経てファシズムに到達した。トロツキズムはファシズムの一変形であり、ジノヴィエフ主義はトロツキズムの一つであります。」

またかつて、十月革命後にコルチャック反乱軍を破り、トロツキーと並んで革命軍事委員会に列席していたイヴァン・スミルノフは、「わが国には、現在の指導部（スターリン体制）以外の指導部は存在しない。テロリズムについて指令と命令を送り、わが国をファシスト国家とみなすトロツキーは、敵であり、バリケードの反対側にある。」と陳述。

これもまたトロツキーの古い友人であり、内乱鎮圧時の英雄でもあったムラチコフスキー。「なぜ私は反革命の道をとったか？　私はトロツキーと関係を結んだ時から、党を欺き、党の指導者たちを欺き始めたのであります。」

その他の被告も同様。つい最近まで錚々たる経歴の持ち主として知られる人たちだけに、それは何とも無情、哀れとしか言いようのない様であった。

このように、内乱終息後にメンシェヴィキからボルシェビキ側（権力側）に転向して検事総長にありついたヴィシンスキーは、まさに自分自身の過去を消し去りたいかのように、長時間にわたってヒステリックな興奮を装いつつ怒り狂い、被告たちが地べたに額をこすりつけ謝罪するに似た見せ場を、延々と演出したのである。そして最後に、「国家検察局を代表して私は、これらの気の狂った犬どもを一人残らず銃殺することを要求する！」と叫んだ（『追放された予言者・トロツキー』３６９～３７２頁）。まさに「見世物裁判」の極致（？）というべきか。

《ピャタコフ＝ラデック裁判》

第二次裁判は、トロツキーが最後の亡命地となったメキシコに移ってから二週間と経たない一九三七年一月に開かれた。ラデック、ピャタコフ、ムラロフ、ソコーリニコフ、セレブリャーコフ、その他十二名が被告。告発はますます辻褄が合わない、信じられない筋書きとなった。

ヴィシンスキーは、「トロツキーはヒットラーや日本の天皇と協定を結び、ヒットラーと日本の天皇がトロツキーを援助する代わりに、トロツキーはソ連の軍事的敗北と解体のために活動することを約束している。」「トロツキーはソ連工業のサボタージュを組織し、指導している。炭鉱や鉄道の破壊、ソビエト労働者の大量毒殺、スターリンその他の政治局メンバーに対する再三再四の暗殺企画がそれである。」と奇想天外な架空物語を披露。しかもそれを被告たちが全員、「その通りです」と鸚鵡返しに繰り返し、トロツキーと自らを責める非難の総仕上げとなった（同書＝400〜401頁）。

そもそも、亡命地でゲ・ペ・ウのテロから身を守ることに精一杯で、さらには地元政府の監視下に置かれて外部との交流・通信もままならない状態にあるトロツキーが、なんと遠く離れた日本の天皇と密約を結ぶことが出来たなど、鬼神も敵わぬ離れ業。どうしてこういうことがあり得ようか。何のためにこういうでっち上げがなされ、それが公開されるのか。

しかし、それには理由がないわけではなかった。

というのはスターリンによる弾圧で、全国各地の牢獄にある何万何十万人もの囚人は、虐待が酷ければ酷いほど、かつてのトロッキーの血沸き肉躍るあの弁舌・雄姿を懐かしみ、その姿を知らない若者でも改めてトロッキズムの正しさを評価する者が後を絶たずで、処刑しても処刑しても追いつかなかったからである。それはスターリンにとって、必ずしも〝幽霊の正体　見たり　枯れ尾花〟では済まない悪夢であったろう。そうであればあるほどに、裁判が架空のでっち上げであろうがなかろうが、それはどうでもよかった。要は、これでもかこれでもかとばかりに弾圧の恐怖を煽り、人々の精神、思想を麻痺させること、それが狙いという以外にない。まさしく被告の心に手を突っ込み掻き回すだけでは足りずに、いろんな遺伝情報をかき集めて人造人間に似たものを作り出すやり口である。天人ともに許さざる所業というべきであろう。

同裁判は一週間続けられ、次いで死刑が執行された。ただし、ラデックとソコーリニコフは、それぞれ十年間の投獄を宣せられた。

二つの裁判は以上だが、デューイ調査委員会はその年の九月二十一日、長期にわたる周到な、そして多くの角度からの検証を経て、モスクワ裁判は司法ではなく政治目的のための裁判であったとの上に立ち、「すべての証拠に照らしてこの裁判はでっち上げであり、レオン・トロツキー並びにレオン・セドフを無罪と認定する」と発表した（前掲書『トロツキーは無罪だ！——モスクワ裁判〈検証の記録〉』）。

ちなみに、この調査委員会では検証対象になっていないが、さらに第三次のモスクワ裁判が一九三七年三月二〜十三日に開かれている。ここではブハーリンやルイコフ、ラコフスキーら二十一人が被告。一時期ブハーリンはスターリンの盟友（？）でもあったが、その昔レーニン暗殺を企てたとの廉であり、殺人刑に処せられた。

◆ロマン・ローランやバーナード・ショーさえも

デューイ調査委員会によるモスクワ裁判検証結果の発表は、本来であれば国際的にも大いに注目されるべきものであった。しかしその反響は、決して芳しいものではなかった。

そもそも各国首脳にとってモスクワ裁判などは、内心興味津々で耳をそばだてていたにしても、建前的にはソ連の内政問題で、とやかく言う筋合いのものではないというスタンス。しかも当時は、世界大恐慌の真最中。他方ヨーロッパ各国ではファシズムが勢いを増すなど騒然。とてもではないが他人事に関わりあっている暇はなかった。加えて、ソ連の経済五カ年計画の成果が宣伝されており、ジャーナリストや学者、文化人ら進歩的知識人の間では、スターリンを評価する傾向が優勢になっていたのである。逆に言えば、資本主義体制の将来に希望を見出し得なくなったことからソ連評価が高まったのだが、それにしても大粛清と大量の人民殺害の上に達成の「計画経済」なるものに目が眩んでスターリンを支持するような進歩的知識人とは、その程度の知識人でしかなかったということであろう。

こうした傾向は特に、それまでトロツキーと親交のあった、当代一流の文化人と称される人たちの間でも、顕著であった。ロシア文学のエリートともいえるゴーリキーやショーロホフ、エレンブルグなどがまずスターリン支持の声を上げ、トロツキーを非難した。西側ではたとえばガンジーの崇拝者で、時代の「人道主義的良心」とされるロマン・ローランのような人間も、ロシアの大虐殺を弁護。「モスクワ裁判に対する批判は、ソ連国内問題への干渉であり、進歩的諸勢力に打撃を与えるものである」とデューイ調査委員会への反対を宣言。しかもこの宣言には、多数の教授や芸術家たちが署名した。ただしこのうちのかなりの人は、一九四〇年代五〇年代の東西冷戦時代に、反共産主義キャンペーンの先頭に立つことになるのである。

バーナード・ショーもまた、逆裁判に反対した。「私は（かつて）スターリンと差し向かいで三時間過ごし、彼を観察している。……私はトロツキーを暗殺者（テロリスト）だとは信じないが、同様にスターリンが俗悪なギャングだと信ずることも出来ない。」と、スターリンとの友情を深めるあまり、粛清を弁明するところまで進んでしまった。

アンドレ・マルローも同様に、「トロツキーは世界の偉大な道徳的力である。だが、スターリンは人類に威厳を添えた。宗教裁判はキリスト教の基本的威厳を傷つけなかったが、同様にモスクワ裁判は共産主義の基本的威厳を傷つけはしない」とスターリンを擁護し、称賛した（以上、前掲書『追放された予言者・トロツキー』４０８～４１０頁）。

世界はこのように、ソ連一国の問題ではあるがソ連一国だけの問題にとどまらない、想像を絶する狂気のでっち上げと大弾圧の惨状を、見て見ぬふりするばかりでなく好意的に容認し、連携する流れとなったのである。

まさに道義は地に落ちた。それは、支配階級とその上に立つ権力が、お国柄は異なれども、目指すもの、その思惑は一緒ということである。つまり、圧倒的多数の国民に対して権力者は常に正しく、これら支配されている大衆が自分で物事を判断して行動することを許さない、反抗を許さないという点で一致し、固く結ばれたことを意味する。それは歴史上の単なる一時期の問題ではない。その後にくる二十一世紀の現代も、実はそれを引き継いで、独裁体制が依然として後を絶たず、手も足も出ない状況が繰り返されているのである。

狂える政治が牛耳る、狂える時代の源泉がここにある。ここから湧き出ている。

第五章　この百年、世界の何が変わったか

◆ホセ・ムヒカ元大統領のスピーチが示唆するもの

時は今から九年ばかり前の二〇一二年六月、ブラジルのリオ・デ・ジャネイロで開催の「地球サミット2012（国連持続可能な開発会議）」で、〝世界でもっとも貧しい大統領〟と称されるウルグアイのホセ・ムヒカ大統領（当時）が、〝寸鉄人を刺す〟と紛うばかりの示唆に富むスピーチをした（以下、佐藤美由紀著『世界でもっとも貧しい大統領ホセ・ムヒカの言葉』日系ユースネットワーク・打村明：訳より引用）。

「……ドイツ人が一所帯で持つ車と同じ数の車をインド人が持てば、この惑星はどうなるでしょうか？　息するための酸素がどれくらい残るでしょうか。」とまず問いかける。そしてさらに「西洋の富裕社会が持つと同じ傲慢な消費を、世界の70億〜80億の人ができる

と思いますか。そんな原料がこの地球にあるのでしょうか？」とのたたみかけ。

「なぜ私たちはこのような社会を作ってしまったのですか？」と振り返りつつ、「マーケットエコノミーの子供、資本主義の子供たち、つまり私たちが、間違いなくこの無限の消費と発展を求める社会を作ってきたのです。マーケット経済がマーケット社会を作り、このグローバリゼーションが世界のあちこちまで原料を探し求める社会にしたのではないでしょうか。」「私たちがグローバリゼーションをコントロールしていますか。グローバリゼーションが私たちをコントロールしているのではないでしょうか。」

さらにまた「我々の前に立つ巨大な危機問題は、環境危機ではありません。政治的な危機問題なのです」ときっぱり。

なんと環境問題の深刻さを憂いるムヒカ氏が、立ちはだかる巨大な壁は環境危機ではなく政治的な危機だというのである。そう、近年では世界各国のほとんどの首脳が、さらには経済界のお歴々が、一様に、流行に後れてはならずとばかりに温暖化や環境問題の重要性を指摘している。しかしその環境問題が何に起因し、どうすべきかについては曖昧である。まさしく延々と続くこの何百年かのかかる政治が、その元凶なのに……である。それが解決を阻む巨大な壁であり、危機の根源だとムヒカ氏は言いたいのだろう。

そして、昔の賢明な方々が言ったという言葉を披露。「貧乏な人とは、少ししか物を持っていない人ではなく、無限の欲があり、いくらあっても満足しない人のことだ。」と。さらに自国ウルグアイの現状にも触れ、「私の国は三〇〇万人ほどの国民しかいません。でも、私の国には、世界でもっとも美味しい一三〇〇万頭の牛がいます。ヤギも八〇〇万頭から一〇〇〇万頭ほどいます。食べ物の輸出国です。こんな小さい国なのに領土の九〇%が資源にあふれているのです。」

以上のようなムヒカ氏の指摘をどう捉えるかは、様々であろう。だが少なくとも言い得ることは、人間全体の行動は、今や手に負えないほどに自然を汚し、地球に負荷を科し、その許容限度を超えようとしていることである。総人口70億〜80億人時代を、さらには90億人にも迫らんとしているなか、どのような経済活動社会活動であれば人類の生存が可能とされるのか。これまでと同様の市場競争ルールの上で生き延びられるはずがない。にもかかわらず、世界経済の成長見通しはどうだとか、保護主義か自由貿易かとか、一帯一路がどうとか、厳しい安全保障環境にどう軍備を整えるべきかなどに現《うつつ》を抜かし、世界の大勢はまことに浮世離れ、どこ吹く風である。

だがこれは偶然ではない。世界史の中では、これまでにも幾度か、かかる流れに警鐘を鳴らし、その流れを変えるための必死の闘いがなされてきた。しかし結局は撃退されるか敗北するかで終わった。その度に、流れは弱まるどころか却って強大になった。そしてその強大な流れに我も我もと、中でも政権の座にあるものが先頭に立って棹をさし、それを功名、手柄にしてきた。そこでは、この流れを変更することなど思いもよらないことであった。もしも変更するとなったら、真っ先に自分たちの政治責任が問われるからである。

そうであればあるほどに今日、この欺瞞的なからくりの歴史を改めて俎上に載せ、断罪しなければならない。〝我々は騙されているのだ！　目を覚まそう！〟と。

◆グローバリゼーションと「大西洋憲章」

「私たちがグローバリゼーションをコントロールしているのではなくグローバリゼーションが私たちをコントロールしているのではないか？」とのホセ・ムヒカ氏の問いかけは、現代世界の危機の深層を衝く言葉として、極めて示唆的である。さらにまた「我々の前に立つ巨大な危機問題は環境危機ではなく、政治的な危機問題だ」も、まさに言い得て妙。さすがに、その半生を反権力闘争に捧げてきた人だけのことはある。何しろ氏はその抵抗闘争の間、身に六発の銃弾を受けるとか、四度にわたって逮捕もされた。一九七二年逮捕では十三年間収監された。出所後政治の表舞台に出ていろいろと活躍し、最後は大統領職を務めたが、それだけに、この「政治的な危機問題」という言葉には、格別な思いが込められているは間違いなかろう。

だが強いて言えば、ではその政治的危機問題とは何なのか。単に現在の政治が正常でない、間違っている……だけではないはずである。しかし氏は、それ以上は踏み込んでいない。それは、このリオ・デ・ジャネイロの会場が、それを語るには場違いであったから……ということだけではないであろう。むしろ自身その半生を、苛烈な闘争の渦中に身を置いてきたがゆえに却って、世界政治の全体像を十分に見渡す余裕がなかったとしても不思議ではない。

そこで振り返って見るときに、現代世界のグローバリゼーションの基礎は、直接的には戦後世界の再建構想として一九四一年八月に打ち出された「大西洋憲章」にあるのは間違いない。同憲章は、日本やドイツ等の侵略戦争がますます苛烈になるなか、ドイツと闘っている連合国側支援を決意したローズベルト米大統領が、チャーチル英首相との会談で取りまとめたものである。中身的には、①領土不拡大、②関係国民の自由意思によらない領土変更の不承認、③民族自決、④通商と原料獲得の機会均等、⑤労働基準や社会保障の改善、⑥すべての国民が自国内で安全かつ恐怖や欠乏から自由に生きられる平和の実現、⑦航海の自由、⑧軍縮と全般的で恒久的な安全保障機構の樹立、の八項目（油井大三郎／古田元夫著『世界の歴史㉘』31頁、中央公論新社）。

一見、いずれも立派な文言のようではある。しかしたとえば、①「領土不拡大」や②「関係国民の自由意思によらない領土変更の不承認」は、現状維持の表明に他ならない。「関係国民の自由意思……」となると、そこには植民地宗主国の意思も入っているわけだから、何も言ったことにはならない。さらに注目されるのは④「通商と原料獲得の機会均等」並びに⑦「航海の自由」。これはまさに、いかなる制約もなしに資金力・資本力にものをいわせる自由貿易、市場競争の推進である。しかも原料（資源）獲得の機会均等などと、獲得（収奪）される国や地域の立場ではなく獲得する側の都合に関する取り決めは言語道断。それでもなお利害は国により異なり対立する。特にこの通商自由化をめぐっては当初、すでに「オタワ協定」等でポンド・スターリング・ブロックを形成して縄張りを設けていた英国としては、これを開放することに反対であった。かつてはモンロー主義など保護主義的であった米国が何をいまさら……と、激しい論争となった。とはいえども、米国の経済力軍事力は圧倒的であり、米国抜きでは戦争に勝ち抜くことも戦後世界の再建も不可能。かくしてチャーチルも、最終的にはローズベルトに屈服せざるを得なかったのである。

だがさらに皮肉なのは、それまで米・英から武器援助を受け、英仏等と連合を組んで戦っているとはいえ、ソ連のスターリンがこの憲章を受け容れ、承諾したことである。「モスクワ裁判」などで知られるようにスターリンは、何十万何百万の人民をでっち上げの罪科で殺害して悪逆非道の限りを尽くし、人民を恐怖のどん底に陥れていた。そのため自身、気が狂った……も同然で、特に一九四一年六月、盟友（？）ヒットラーのドイツ軍に突如攻め込まれた時は茫然自失、なすが儘にまかせるほどであった（前掲書『十月革命の四十周年』）。そのスターリンが、たとえ建前的であるにせよ、なんと「すべての国民が自国内で安全かつ恐怖や欠乏から自由に生きられる平和の実現」というフレーズを、厚かましくも受け容れたのである。これを承諾したスターリンがスターリンなら、その承諾を認めた米英首脳も米英首脳である。狐とタヌキのばかし合い、などというものではない。正義を語ることで、お互いが正義を蹂躙することに利を見出しているのである。

まさに戦後世界は、かかる騙し合いの上に、それを覆い隠し、封じ込めんがための画策をなすことによって、皮肉にも発展・繁栄してきた。そうであるゆえにそれは、極めて不健全であり、危機を誘発・増殖するものとなっている。現代のグローバリゼーションは経済的にばかりでなく、政治的にも軍事的にも多くの免疫が出来ているとはいえ、そうした騙し合いによる危機増殖政治の申し子である。

◆スターリンが米・英首脳と同格になれた理由

ちなみにこの大西洋憲章は、その後二十六カ国が加わり、一九四二年一月の連合国共同宣言で戦後構想の原則として確認された。

一九四三年十一月にはローズベルト、チャーチル、蔣介石のカイロ会談で対日処理方針を定めたカイロ宣言を発表。さらにローズベルト、チャーチル、スターリンのテヘラン会談では連合軍の北フランス上陸作戦が協議され、一九四四年六月アイゼンハウアー指揮のもとノルマンディに上陸し、ドイツ軍を駆逐してパリを解放、ドゴールの臨時政府が組織された。そして一九四五年二月、米・英・ソ三国首脳はクリミヤ半島のヤルタで会談し、ヤルタ協定を締結。ドイツ処理の大綱と、併せてドイツ降伏後のソ連対日参戦についても密約を交わした。

その後、ドイツは五月七日に無条件降伏するが、四月にローズベルトの急死で昇格したトルーマンは七月、チャーチル、スターリンとポツダムで会談し、日本に降伏を促すポツダム宣言を発表。日本は八月十四日にこの宣言を受諾し、十五日に終戦となった。

ここで注目されるのは、以上のようなカイロ会談やヤルタ会談、テヘラン会談、そしてポツダム会談など、米・英・ソ三カ国首脳の一連の会談で戦後世界の枠組みが決められたことである。だが、何故にこの三カ国首脳だったのか。

いうまでもなくアメリカは、すでにして第一次世界大戦（一九一四〜一八年）前からそうであったように、経済力軍事力等世界に並ぶもののないほどの超大国。イギリスも斜陽とはいえ、なお多くの植民地を抱える老帝国で、強い影響力を有していた。対してソ連はどうかといえば、一九四三年二月に攻防中のスターリングラード戦で、ドイツ軍が冬将軍到来ゆえの飢えと寒さに耐え兼ね降伏し、辛うじて窮地を脱出したが、独ソ戦開始以来それまでは敗退に次ぐ敗退で苦戦していた。そのためスターリンは事あるごとに米・英に武器供与等の支援を仰ぎ、さらには米・英軍が西ヨーロッパのどこかでドイツ軍と戦う「第二戦線」を設け、そちらにドイツ軍を引きつけて欲しいと懇請する始末であった。そのソ連が何故に米・英と同格に戦後処理の協議等に加わり、役割を担うことができたのか。しかも、ソ連は社会主義を標榜しており、いわば米・英等資本主義諸国にとっては敵性国家で、対立する存在であったはずである。それなのにどうして？　ではある。

確かに、資本主義であろうと社会主義であろうと、広がり続ける戦火を少しでも早く消すことが第一であるとすれば、そのためには手を結ぶことも必要、それが悪いというわけではない。それにスターリンは、他国の革命を望まない証として、一九四三年五月にコミンテルン（別名・共産主義インターナショナル、第三インター）を解散するなど、資本主義との協調路線に転じていた。

とはいえどもソ連の統治体制は、いわば共産党の一党支配で、その上に立ってのスターリンによる独裁である。少なくともこれは、自由、民主主義を看板とする米・英の統治体制とは相容れない。むしろ全体主義的という点では、スターリンの統治体制の方が、イタリアのムッソリーニやヒットラーのナチズム以上でさえある。しかし米・英は提携相手として、これらのファシズムではなくスターリン主義を選んだ。

その理由は明らかである。それは、世界秩序の安定を第一にしたからである。「マルクス主義をもってマルクス主義を否定し、社会主義をもって社会主義を否定する」スターリン主義は、いわば人民が本来有する権力を総取りする体制である。人民から取り上げ、つまり簒奪して、「人民のために人民に代わって行使する」と嘯《うそぶ》く体制である。それは、マルクス主義の名のもとに、そして社会主義の名のもとに、スターリンらの官僚化した支配グループによって権力が行使される体制である。権力を簒奪された人民は、それによって抑圧弾圧され、さらにはテロに晒され、恐怖で意思が麻痺し、ただひたすら黙々と従う以外にない存在と化している。しかし生きる目標、働く目標はそれなりに与えられており、働かざるを得ない。それは「社会主義社会の建設」という名の労働である。それへの献身である。

たとえそこであまりの残酷さに耐え兼ねて、これは「ウソだ！」「不当だ！」と叫ぼうとしても、そう言って批判し反抗しようとしても、その理由を体系だって語ることは、およそ不可能になっている。スターリン主義は一九一七年十月革命の輝かしい偉業を引き継いでいるのだと豪語しているからである。したがって、スターリンのやり方の間違いを理論的に明らかにするためには、十月革命の総括までやり直さなければならない。それは同時に、レーニン主義、マルクス主義の総括、その見直しをも含む問題にも取り掛からなければならない。しかもそれらはすでに、スターリンの最大の敵であったトロツキーとその支持者たちが、全存在を懸けて闘い、敗退した問題である。それを今さら一般の人民が学習し直し、理論や思想を再構築して闘おうとしても、まず不可能である。十年二十年前よりも人民全体の意思は遙かに大きく麻痺し、自主性主体性は解体され、スターリン主義への屈服に慣れ切った状態になっているからである。

このことは、資本主義諸国の首脳にとっては、スターリンのソ連がまことに頼りになる存在だということになる。労働者や被支配階級の利益を代弁することを看板に、労働者や被支配階級を半永久的に抑え込む体制を敷いているからである。世界秩序安定のパートナーとして、これに勝るはなし……である。

◆ファシズムは資本主義の走狗だが賞味期限は短命

以上のようなスターリン主義と異なる存在であったのは、ファシズムであり日本の軍国主義である。ではそれらはどう異なっているのか。

ファシズムは、いわば暴徒の集団である。そこには普遍的な理念のようなものがあるはずもない。あるのは既成の体制や政治に対する不満や怒り、それゆえの狂気である。経済的な不況等により生活が脅かされ不安が募る中、特に没落の危機にある中間層や未組織労働者が怒りの声を上げて突き進むのが特徴である。その限りではまさに烏合の衆に過ぎない。しかしそこに、そうした不満や怒りを吸い上げて一定の方向を示すものが現れたとなると、状況は一変し、新たな政治勢力を形成する。

ファシズムの元祖と目されるイタリアのムッソリーニがそうであった。

この時期イタリアは、第一次世界大戦で荒廃が激しく、国民の不満が噴出。財政難で食料その他の生活必需品が不足し、産業は振るわず、インフレが激化、失業者も増大するばかりであった。しかしその一方で、戦争を通じて重工業を始めとする独占資本が急成長し高収益。それだけに格差が広がり社会は分裂し、階級対立が激化、革命前夜の様相であった。

ムッソリーニは、大戦前までは社会党員で機関紙の編集長を務めるなど反戦論を展開していたが、間もなく参戦論に転じ社会党を離れた。そして一九一九年三月、今度はミラノで旧軍人やその他の戦争支持者とともに「戦士のファッショ」（戦闘団）を結成し、その指導者となった。当初この「戦士のファッショ」は男女普通選挙制や軍需工場の国有化、累進課税導入や八時間労働制など社会主義的要求を掲げて選挙に臨んだ。しかし勢力は振るわず、一九一九年十一月の総選挙では一人の当選者も出せなかった。

ところがその翌年、それまでミラノやトリノの金属労働者を始めとして全国各都市で闘われていた労働者階級の工場占拠やストライキ闘争が、政府と労働総同盟との妥協工作により終息したのを機に、「ファッショ」の戦闘団が復讐を買って出た。公然と暴力を揮い、左翼勢力や労働組合を襲い始めた。一九二〇年十一月には社会党が掌握していたボローニャの市庁舎を襲撃し占拠。次いでその後も同じように次々と市庁舎等を襲撃して支配権を握り、その数も最初の数百人から数千人、数万人へと増加。町から町へ移動し、社会党員や労働者たちを殺害。暴行、略奪のテロを加え、あるいは拷問し、これを「懲罰遠征」と豪語する始末であった。この「ファッショ団」は主として、戦争から帰還した失業軍人、小市民や小農の子弟、学生、そして街のならず者などにより構成され、自分たちの行動が社会秩序を回復し国の危機を救うものだと主張。やり場のない憤懣を暴力の中に発散させるものであった（以上、江口朴郎責任編集『世界の歴史⑭――第一次大戦後の世界』中公文庫、357～359頁）。

ファシストの戦闘団はその後、「国家ファシスト党」と改名し、一九二二年十二月、数万の武装行動隊をローマに進軍させ、勢力を誇示して政権奪取を狙った。これに対し時の首相は、これを阻止すべく国王に戒厳令の裁可を求めたが国王は裁可を拒否し逆に、ムッソリーニに組閣を命じてしまった。

かくして三十九歳という、当時では最年少首相が誕生。その後ムッソリーニは、力ずくで選挙法を改正し、一九二四年の総選挙でファシスト党が多数を獲得。この選挙におけるファシスト党の脅迫、暴行、買収は凄まじいものであった。その糾弾に立ち上がり、同年五月の国会で批判演説をしたマッテオッティ統一社会党書記長は、間もなく行方不明となり、二カ月後に遺体で発見された。

それより以降ファシスト党はより一層公然たる暴力行使に移り、左翼のみならず穏健な自由主義者も含め、一切の反対者を弾圧。言論の自由は剝奪され、耐えられなくなった政治家や思想家が次々と亡命する始末。さらには、ファシスト党以外の政党に解散を命じ、労働総同盟も解体。一九二九年三月には議会も廃止し、完全なる独裁体制を確立した。

しかし他方でムッソリーニは、課税対策によって財政の均衡を図り、平価切下げで通貨を安定させ、外資導入で工業を発展させて失業者を吸収するなど経済対策を成功させた。

特にこの外資は、米・英の援助によるものであり、たとえばアメリカのモルガン財閥は一億ドルを融資したといわれる。

この間、ファシズムと大資本の結びつきはますます緊密化した。一九二七年一月、時のイギリス蔵相のチャーチルが休暇を利用してイタリアを訪れ、ムッソリーニと会見し、「イタリア・ファシズムが、ロシアの毒（社会主義革命）を防いだ功績は、全世界に寄与するものだ。」（前掲書『世界の歴史⑭』３６６頁）と称賛したほどである。

が、そうだとしても、それは明らかな思い違い、間違いである。仮に資本主義の深刻な危機乗り切りにファシズムが一定の役割を果たしたにしても、資本主義体制を恒常的に支えるものとしては不適格であり、むしろ失格だからである。それは掲げるスローガンが、国家主義に基づいての領土拡大であり、人種的優越の呼号であり、特にイタリアの場合は「大ローマ帝国」再興への侵略拡大だからである。そのようなスローガンでは早晩、国際資本と衝突するは必須であり、いつまでも通用するものではない。ではそれらのスローガンを下ろしたらどうかだが、それを下ろせば残るのは剝き出しの暴力のみになり、とてもではないが一国をまとめ切るは不可能。それでもなおムッソリーニが、一九四五年にパルチザンに銃殺されるまで生き延びられたのは、第二次世界大戦勃発に見られるように、世界資本主義全体が混乱に混乱を重ね、極度に不安定な情勢を長引かせていたからに他ならない。

◆結果的にナチスが米・英・ソ提携の立役者に

ムッソリーニよりも、さらにスケールの大きいファシズムは、ナチス軍団を率いたドイツのヒットラーであった。

ヒットラーは直接的にはヴェルサイユ体制の申し子である。第一次世界大戦で敗北したドイツは、高い工業技術力などに恵まれつつも、領土は削られ、過酷な賠償を科せられるなど手足を縛られ、呻吟していた。桎梏となっているこのヴェルサイユ体制に対する反発はドイツ国民の間に広がっており、それがヒットラーの原動力となったのは間違いない。

だが、直接的にはそうであっても、氏の本領は、反ユダヤ主義に見られる民族浄化と反マルクス主義、反社会主義、そして世界制覇の野望であった。彼の中には彼なりのグランドデザインが描かれていたのである。そうであるゆえにヒットラーは、第二次世界大戦の引き金を引き、侵略に次ぐ侵略を重ね、ついには一九四五年四月、自らの自殺をもってこの大動乱に終止符を打たねばならなかった。それは資本主義の歴史からすれば大番狂わせの大誤算という以外にないが、しかし日本のアジア太平洋戦争を含め、戦後の冷戦体制形成への踏み台を構築したという点では、悪い意味での歴史的立役者であるかもしれない。

ヒットラーは、第一次世界大戦が始まってすぐに、バイエルンの連隊に志願兵として入り、敗戦後も一九二〇年まで国防軍に席を置いていた。このバイエルン地方は、一九一八年十一月に労働者階級による革命政権が樹立されていたが、翌年五月に軍部がこれを倒し、それより以降は反動政権が続き、全ドイツ反動右派の溜まり場的存在になっていた。

ヒットラーはここで、結成間もない右翼の政治組織であるドイツ労働者党に入党。この党は翌年「国家社会主義的ドイツ労働者党」と改名。俗に「ナチ」もしくは「ナチス」と呼ばれるようになった。そしてヒットラーは一九二一年七月、この党の代表になった。何しろ彼は演説がうまく、主としてヴェルサイユ条約反対、民主共和制反対、マルクス主義反対、ユダヤ人排斥等を主張し、軍部の支援を受けて急速に組織を拡大。一九二二年に五、六千人であった党員が、フランスのルール工業地帯占領でヴェルサイユ条約反対の声が高まった一九二三年秋には、一気に五万人余りになった。

ただ、党勢拡大につれ、その行動に批判も高まった。そこで、演説会場でのヤジなどには、これを暴力で袋叩きにした。この暴行を受け持ったのが、いわゆる「整理班」。腕っ節の強い元兵士、徒弟、学生、未組織労働者等がその隊員となり、分隊を作り行動。一九二一年八月には「体育及びスポーツ隊」と称したが、同年十一月以降「突撃隊」（SA）となった。

一方、ナチス党は単に暴力に訴えるのみではなかった。強みは、大衆の不満を掴み、そのはけ口をうまく誘導し、大衆を動員するなかで運動を拡大したことである。俗にいう「ポピュリズム」（大衆迎合主義）ではあるが、ポピュリズムが広がること自体、いかに社会が不安定で人々が不満を抱え、にもかかわらず政治の方向性が定まっていないかを示すものである。

特に一九二〇年前後のこの時期は、ドイツ労働者の圧倒的多数は政権を担う社会民主党の影響下にあり、対してドイツ共産党は結成されたばかりで少数であった。そのため、革命的闘争がものにならず、期待外れとなっていた。加えて一九二三年頃よりは、国際共産主義運動全体がスターリンの指示で混乱し始め、決定的瞬間には大衆闘争を裏切り、最も当てにならない存在として不信の目で見られていた。そこにナチスが付け込み、運動を拡大した。

実際にヒットラーは、いろんな右翼的民族主義的スローガンとともに、奴隷制の打破であるとか戦時利得の没収、トラストの国有化、百貨店の地方自治体への譲渡、農地改革等々の社会主義的と思われる政策を提示し、社会の底辺に位置する人々に訴えていた。しかもそれを、大衆の直接行動で勝ち取るのだとの宣伝は、現実の社会主義運動に失望している人たちをも幻惑させるに十分であった。

こうしてナチスは大衆的な運動基盤を築いていたが、しかし挫折もあった。ミュンヘン一揆である。

一九二三年十一月、バイエルンに集合していた反動的グループ各団体は、ベルリンの中央政府を倒し軍部による独裁体制樹立へ進軍することにした。しかし土壇場で軍部その他が反対に回り、結局出発したのはナチス党中心の三千人ばかり。デモ隊はミュンヘン中心部に入ったところで警官隊の一斉射撃に遭い、四散。ヒットラーは一旦逃げたがすぐ捕まり、裁判で禁固五年の刑を宣告され、収監された。ちなみにこの折に獄中で取りまとめた書が、後にナチス党の経典にもされた『我が闘争』である。

これを境にナチス党の性格も変わった。国防軍の支持もなくなり、保守帝政派とも袂を分かって、独自の政治活動を強化。突撃隊は政治的大衆団体へと転換し、代わって今度は党内の秘密警察となる少数精鋭の親衛隊を組織。ヒットラー独裁体制の恐怖の支配機構がここに芽生えることとなった。

この後、一九二九年のアメリカ・ニューヨーク株式市場の大暴落をきっかけとする世界大恐慌は、ドイツ経済にも大きく影響。そのために生活基盤が破壊された中間階級や農民等の多くは、これまでの中間諸政党支持からナチス党支持に走り、支配階級の多くは軍部による独裁を望むようになった。そのような情勢のなか、一九三〇年の総選挙で一〇七議席を獲得したナチス党は、大資本の積極的支持もあり、一九三三年一月、大統領の指名でヒットラーが首相になり、政権を握った。

そしてその直後の、三月投票の総選挙。選挙戦終盤の二月二十七日に国会議事堂が放火にあい全焼した。直ちにオランダ人の共産主義者が犯人だとして逮捕され、政府はその調査を待たずに共産党の仕業だと断定して、憲法で保障の基本的人権を停止し、共産党員その他を大量に逮捕。事件は、ナチスの謀略で真犯人はナチス党員との見方が強かったが、真相は分からずじまいとなった。

選挙の結果は、この放火事件を利用したナチス党が四十四％獲得と躍進し、保守与党と合わせて過半数。しかもその上で召集の国会では、政府が今後四年間、憲法に反する法律をも出すことができるという、立法権を政府に委任する「全権委任法」を国会に提出し可決。かくして前代未聞の「国会自殺」法なるものが国会を通過した。

ちなみに、日本の副総理兼財務大臣である麻生太郎氏がかつて、憲法改正論議に関連して「ナチスの手口に学んだらどうかね……」と語り、その後の国会で追及論議にあったのも、これらのことを指している。

このあとナチスは「国民革命」なるものを推進し、各地の州や自治体の権力を暴力で奪取。反対派やユダヤ系住民を迫害し、強制収容所も自由に設置。一九三三年夏までにはナチス党以外の政党は解散させられ、既存の労働組合はナチスのドイツ労働戦線に吸収されていった。また国家機構から自治体に至るまで政治的反対派とユダヤ人を追放。その追放は、言論界、スポーツ・文化等の諸団体にも及んだ。逮捕状なしで拘束できる保護検束により、この年の七月までに二万七千人が強制収容所送りとなった。さらには、一九三六年までに二万人以上の社会主義者・民主主義者が国外に亡命した（木村靖二／柴宜弘／長沼秀世著『世界の歴史㉖』中央公論社、３１２～３１４頁）。

一九三四年ヒンデンブルク大統領が死ぬと、ヒットラーは大統領権限も併せ持ち、名実ともに独裁者となった。四カ年計画により軍需工業を拡大し、十年で七千キロのアウトバーン（自動車専用道路）を建設するなど、大規模土木工事展開で失業者を吸収。大衆娯楽や福祉政策にも力を入れて支持を広げていった。そして一九三六年夏に開催のベルリン・オリンピックでは、「プロパガンダの天才」といわれたゲッベルス啓発宣伝相に命じて演出させ、国威発揚とユダヤ民族に対する人種的優越性を示す場として徹底的に利用した。

こうしてヒットラーは、まずは念願のヴェルサイユ体制打破に乗り出した。一九三八年三月にはドイツ民族統合を名目にオーストリアを併合。続いて九月、ドイツ人が多く居住するチェコスロヴァキアのズデーデン地方の割譲を要求。これに対し、英・仏・伊の首脳がドイツのミュンヘンでヒットラーと会談し、説得に当たったが、しかし結局、ヒットラーの要求を認めることになった。これが後に失敗外交のモデルとされる「宥和政策」。ヨーロッパ侵略を最小限にとどめるべくヒットラーを宥め、そのために要求を認めたとのことだが、しかし真の狙いは、ヒットラーにソ連を攻撃させ、共産主義運動の弾圧に力を発揮することを期待してのことであった。だがそのヒットラーが、一九三九年八月に独ソ不可侵条約を結んで世界を驚かせ、九月にポーランドに侵攻。一九四〇年四月にはデンマーク、ノルウェーに、五月にはオランダ、ベルギーに侵入。そして六月フランスのパリを占領し、イギリスを猛爆撃するのだから、チャーチルにとっては誤算も誤算、大誤算である。

が、そうかと思うとヒットラーは、反転して一九四一年六月、不可侵条約を結んで間もないソ連に侵攻した。しかも、ドイツ軍のほかに、ルーマニア、フィンランド、ハンガリー、スロヴァキアの軍隊がこれに加わり、三方向に分かれて攻撃を開始するなど用意周到。その結果今度は米・英・ソが対ドイツ戦で手を組む構図へと転換。かくして結果的に戦後世界構想がこの米・英・ソの三首脳に委ねられることになったのだから、これまた二重三重に歴史の皮肉である。まさに皮肉を込めれば、ヒットラーの功績はその点で多大ということになる。

そもそも、かかる合従連衡の内幕について付け加えれば、開戦以来ドイツ軍がヨーロッパ各国を席巻しているにもかかわらず、アメリカは当初「中立」を守り、すぐには立ち上がらなかったことである。当時すでにアメリカは、一〇〇社を超える大企業がドイツに進出しており、アメリカにとってドイツは世界有数の投資先であったのである。しかも、一九四一年三月に「アメリカは民主主義の兵器廠になる」（ローズベルト大統領）と宣言して対英援助に乗り出したが、アメリカには大企業のオーナーなどナチス支持者が多く、必ずしも「反ファシズム」の空気ではなかった。それでもその後参戦に踏み切ったのは、一九四一年十二月の日本の真珠湾攻撃による日米開戦が引き金。「三国枢軸」を結成しドイツと同盟を結んでいる日本と戦うということは、ドイツとも戦うことになるからである。

◆日本の軍国主義とファシズムとが違う理由

ところでその日本。「三国防共協定」や「三国枢軸」を結成し、ドイツ・イタリアと組んで第二次世界大戦を戦ったのだが、しかし日本の軍国主義とドイツ・イタリア等ヨーロッパのファシズムとは、決して同じではなく、その背景、その政治的性格を大きく異にしている。

それは、ファシズムは資本主義的生産体制がかなり進んだ国、しかも良くも悪くも「自由」「民主主義」を取り入れている国でこそ発生する。それはそれなりに都市労働者等無産大衆が存在しており、ファシズムはそうした民衆の「自発的力」に依存し、それを利用することによって成り立つものだからである。そうであるゆえにそこには、「民主主義」ばかりでなく「社会主義」の運動も存在する。その絡み合いの中で、民衆の力をより一層引き出すためにファシズムは盛んに既存の社会主義運動を攻撃する。そうしておいて今度は、自ら社会主義的スローガンを掲げて大衆を幻惑し、支持を集める。これが常套手段である。

そうした点でいえば日本は、特に明治から昭和初期にかけての日本は、国家が前面に出て資本主義を育成する流れであり、そうした段階であった。そこには未だ、資本家階級と対立する労働者階級並びに無産者大衆という階級対立の構図は、はっきりと形成されていなかった。しかもその国家とは、いうなれば天照大神の尊《みこと》を始祖とする天皇支配の神の国。その天皇支配の国には、「自由」や「民主主義」が存在しないことを前提とする。それが存在するためには、「基本的人権」の欠片《かけら》なりとも必要とするのだが、国民はすべて「万世一系の天皇の赤子」、つまり天皇の子とされているのだから、独立した一個の人間としての人格など、あるはずがない。

江戸時代まではどちらかというと、将軍様もしくは大名領主が偉かった。それは支配階級の頂点にあって、それなりに国の秩序と領民の暮らしを守る存在であったからである。そこには、厳格な身分の上下差があるにしても、人間と人間との契約（ギブ・アンド・テイク）という要素が底流にあった。しかし「王政復古」「天皇親政」という掛け声の明治維新を通じて、日本国民は有史以前から天皇さまから命をもらい、天皇さまに尽くすことを誇りとして生きる存在であると教えられ、洗脳されてきた。何かに頼らなければ生きていけない人間にとっては麻薬のように、それはある面で安らぎであり、強みであったかもしれない。そこに付け込まれ、手玉に取られた。

かくして天皇制を批判することはタブーで不敬罪となり、様々な犯罪の中でも特に重い刑罰を科せられた。否、何よりも人々を取り巻く周辺全体が、この信仰に疑義を挟《はさ》ませない雰囲気となっていた。それだけ全国民が一つに統一され、バックボーンが妄想で固められていたのである。

もっとも、それだけならまだ我慢できる余地がなくもなかった。妄想であってもみんなが天皇の子であるとするならば、それはみんなが一様であり、平等であることを意味するからである。差別も階級もなく平和な国であるはずだからである。ところがそうはならなかった。

確かに江戸時代までの士農工商の身分制は廃止され「四民平等」とされたのだが、上層公家とともに藩主（大名）を華族とし、藩士や旧幕臣を「士族」として上座に据えた。「華族・士族・平民」という新たな身分制度に編成替えしたのである。さらにいえば、華族・士族に対しては家禄を、王政復古の功労者に対しては賞典禄を、総称して〝秩禄〟なるものを国家財政から支出。一時その支給額は国の総支出額の三十％を占めるまでに膨らんだ。かくして巨大な資産財産を持つ分限者や地主と、貧農・小作人、あるいは職人・小商人らとの格差は却って大きくなっていった。そしてこれがその後の、政府の殖産興業政策と相俟って、日本資本主義を発展させる上での社会的経済的土台になったのである。

しかし、それだけならまだよい。というのは、それだけのことなら未だ国内問題だからである。ところが、「王政復古」「天皇親政」のスローガンで明治維新をなし遂げた日本は、領土拡張の野望を「日本が神の国」であることを理由に正当化する方向に進んだ。「神の国」は貴く偉いのだから、それ以外の国・民族が従うのは当然、という発想である。はっきりとそうは公言しないが、いつの間にかそういう差別意識、差別観念が広がり定着していった。

かかる流れを切り開く上で大きな役割を果たしたのが、明治維新の功労者としてよく引き合いに出される吉田松陰である。松陰自身は一八三〇～五九年の生涯で、一八六八年の明治維新を待たずに世を去っている。だがしかし、松陰が設立した松下村塾からは、高杉晋作や伊藤博文、山縣有朋ら明治維新を担った人物が、そして戦争を主導した人物が輩出している。そればかりでなく彼の思想は明治、昭和、平成を通じて多くの人に信奉され、現在においても松陰に心酔する人が少なくない。保守系の政治家や財界人はもちろん、リベラルと称される政治家でも、あるいは評論家等でも、松陰を高く評価しているのが現実である。

だが天才・鬼才の松陰といえども「時代の子（？）」である。否、「神の国」の子である。たとえ周囲の人に分け隔てなく接し、思いやりの深い人と慕われているにしても、天下国家に関わる経綸抱負となると、皇国日本の行く末を憂いての国粋主義と侵略思想をまざまざと浮かび上がらせるばかりであった。その松陰が獄中で執筆したといわれる書に『幽囚録』がある。

そこには、「立派な国を建てていく者は、現在の領土を保持していくばかりでなく、不足と思われるものは補っていかなければならない。」との上に立ち、昂然たる気概での侵略構想が綴られている。たとえば「隙に乗じてカムチャッカ、オホーツク海を奪い、琉球によく言い聞かせて幕府に参観させ……」とか「朝鮮を攻め、旧い昔のように日本に従わせ、北は満州から南は台湾・ルソンの諸島まで一手に収め……」などと、なんとも凄まじい（以上、奈良本辰也著・訳『吉田松陰著作選』所収の「幽囚録」より引用）。

まさしく明治から昭和にかけての侵略戦争は、ほぼこの構想をトレースしたかのように進められてしまった。

◆ひたすら侵略に走る「明治維新の罪」

それはまず、松陰が『幽囚録』で描いたように一八七二（明治五）年、琉球王国を日本領とすべく、ここに琉球藩を置いて政府直属とした。もともと琉球王国は、江戸時代以来薩摩藩の支配下にあったとはいえ、もう一方で清国を宗主国としており、いうなれば清国の属国であった。つまり両方の国に属する両属関係にあったのである。しかしその後、日本の台湾出兵などを経て清国の抗議を退け、一八七九（明治十二）年に琉球藩及び琉球王国を廃止して沖縄県とする琉球処分を強行した。他方、一八七五（明治八）年、ロシアとの間で樺太・千島交換条約を締結し、懸案となっていた樺太（サハリン）をロシアに譲り、代わりに千島列島を領有した。翌年には小笠原諸島を領土にした。また、江華島事件を機に朝鮮に迫り、一八七六（明治九）年に日朝修好条規（江華条約）を結び、鎖国政策をとっていた朝鮮を開港させた。

こうして日本はいよいよ、アジア大陸侵略への足場を固めた。国内的には、一八七七（明治十）年の西南戦争や自由民権運動の活発化、国会開設期成同盟会結成など「生まれ出る陣痛」とでもいうべき騒然たるものがあったが、その間の総集約になるものとして、一八八九（明治二十二）年に大日本帝国憲法（明治憲法）が発布された。これは天皇が国民に与える欽定憲法で、天皇と行政府が極めて大きな権限を持つものであった。第一条は、大日本帝国は万世一系の天皇がこれを統治す。第三条が、天皇は神聖にして侵すべからず。第四条は、天皇は国の元首にして統治権を総攬しこの憲法の条規に依り之を行う。さらに第一一条は、天皇は陸海軍を統帥す。第一二条は、天皇は陸海軍の編成及び常備兵額を定む、となっている。つまり、国防方針の決定はもとより、策戦・用兵など軍の統帥、宣戦・講和、条約の締結など、議会が関与することなく天皇が裁決するという「天皇大権」である。また併せて、そうした憲法下の道徳心を涵養《かんよう》する教育勅語を翌一八九〇（明治二十三）年に発布した。

かくして、「王政復古」、「天皇親政」、「神の国」などの神がかり的口説でスタートした明治維新は、維新直後のいろんな葛藤や紛争の期間を経て、ここにその体系を整えたのである。つまり、皇国という思想・信仰で武装し、国を挙げてうって一丸、富国強兵、殖産興業、文明開化へ邁進する体制である。そこにはたとえば、『坂の上の雲』（司馬遼太郎著）で描かれたような、若者の新しい国づくりへの希望溢れる青春群像があったにしても、天皇の狩衣を着た軍部が支配する侵略一筋の道でしかなかったのである。「坂の上の雲」は明るい雲ばかりではなく、どす黒い暗雲に覆われていた。

一八九四～九五（明治二十七、八）年と一九〇四～〇五（明治三十七、八）年の日清、日露の戦争は、たまたま「病める老大国」相手であったがゆえに、世界がアッと驚く小国日本の勝利となった。この二つの戦争勝利で日本は、清国からは遼東半島および台湾・澎湖諸島を譲り受け、台湾を植民地化した。ロシアからは、韓国に対する日本の指導・監督権を奪い、清国からの旅順や大連の租借権、長春以南の鉄道とその利権の譲渡、並びにサハリン（樺太）とその付属諸島の譲渡などを獲得。ちなみに朝鮮半島についてはその後、一九一〇（明治四十三）年に韓国併合条約を強要して植民地化した。

また第一次世界大戦（一九一四〜一八年）勃発に際しては、日英同盟協約を口実に参戦を強行し、中国におけるドイツの根拠地青島と山東省の権益を接収し、赤道以北のドイツ領南洋諸島の一部を占領した。〝火事場泥棒〟と揶揄されたゆえんである。こうして一九一五年、北京の袁世凱政府に対して山東省のドイツ権益の継承や南満州及び東部内蒙古の権益強化、日中合弁事業の承認など、いわゆる二十一カ条の要求を突きつけ、最後通牒を発して要求の大部分を承認させた。

一九三一（昭和六）年九月には、奉天郊外の柳条湖で南満州鉄道の線路を爆破し、これを中国軍の仕業として軍事行動を開始し、満州事変を勃発させた。翌一九三二（昭和七）年、関東軍は中国東北部である満州の主要地域を占領し、「満州国」の建国を宣言した。しかし国際連盟派遣のリットン調査団がこれを日本の傀儡《かいらい》国家と認定したことからこれに抗議し、一九三三（昭和八）年三月、日本は国際連盟を脱退した。

また、一九三五年以降関東軍は山東、河北等の華北五省を、国民政府の統治から切り離して支配する「華北分離工作」を進め、西安事件を引き起こした。これを機に中国側は、それまで争っていた国民党と中国共産党が内戦をやめ、統一して抗日戦争に臨むことになった。かくして、一九三七（昭和十二）年の盧溝橋事件をきっかけに、本格的な日中戦争突入となったのである。

しかし広大な大陸での戦争は、中でも戦線の拡大は、守る側には有利でも攻める側には不利。兵員増派が限られるのはもちろん、武器・弾薬の補給一つとっても苦戦は必須で、急速に泥沼化。にもかかわらず、撤退せずに続けるとなると、差し当たり軍需産業用の資源・資材をどう確保するかが焦眉の急となる。そこで国内的には、一九三八（昭和十三）年、国家総動員法を制定し、国民徴用令によって一般国民を軍需産業に動員。また、国家主義・軍国主義を鼓吹し、戦争協力を促す国民精神総動員運動を展開。労使一体での産業報国会も結成された。

一九三九年九月、ドイツがポーランドに侵攻し第二次世界大戦が始まると、日本は米・英との戦争覚悟で「大東亜共栄圏」建設のスローガンを掲げ、欧米諸国の植民地である南方への進出を決定した。こうして一九四〇（昭和十五）年九月、日本軍は北部仏印に進駐し、同時に「日独伊三国同盟」を締結し、米・英との開戦へと向かったのである。

一九四一（昭和十六）年十二月八日、日本は英領マレー半島に奇襲上陸し、同時にハワイ真珠湾を奇襲攻撃して米・英に宣戦布告した。第二次世界大戦への合流である。開戦から半年の間は、イギリス領のマレー半島、シンガポール、香港、ビルマ（現・ミャンマー）、オランダ領東インド（現・インドネシア）、アメリカ領のフィリピンなど、東南アジアから南太平洋にかけての地域を次々と占領し、「大本営発表」のもと、国民は勝利の歓喜に沸いた。だがしかし、占領された現地住民にとっては、ただただ悲惨。日本軍の現地での資源、食糧等の略奪や、住民を強制労働に駆り立てることへの反発は強く、怨嗟の声。大東亜共栄圏の〝共栄〟とはおよそ無縁な過酷支配、蹂躙であったのである。

しかも緒戦の勝利は束の間。圧倒的に優位なアメリカ軍の反撃は早く、一九四二（昭和十七）年六月のミッドウェー海戦で日本軍は大敗し、これを機に戦局は大きく転換。一九四四（昭和十九）年七月にはマリアナ諸島のサイパン島が陥落し、十月にはフィリピン奪還を目指すアメリカ軍がレイテ島に上陸。その上、この年の十一月末からは、B29戦略爆撃機による東京空襲など本土爆撃が常態化した。翌一九四五（昭和二〇）年三月に硫黄島を占領したアメリカ軍は、四月に沖縄本島に上陸し、島民を巻き込んだ激戦の末、これを占領。この沖縄戦での日本軍戦死者は六万五千人、一般県民の死者は十万人を超えた。しかも日本軍は沖縄県民を自決に追いやるなど、何とも非道、凄惨なものであった。

そしてその後も、日本列島全体が空爆を受け、八月に広島、長崎に原爆が投下された。こうして八月十四日の御前会議でポツダム宣言受諾を決定し、八月十五日に降伏、終戦となったのである。つまりこの第二次世界大戦は、中国では約十五年間、ヨーロッパでは約六年間、太平洋では約四年間も戦われ、全体で五千万〜八千万人の犠牲者を出して終結したのである。

ちなみに近年、一九八四年初版の『失敗の本質』と題する書が話題になっている。〝日本軍の組織論的研究〟と銘打ち、大日本帝国の主要な失敗例を俎上に載せ、その欠陥を抽出のものではある。しかし真に重要なのは、「失敗の本質」のその本質をめぐる問題であろう。つまり軍の組織論よりも、大日本帝国そのものを対象とした〝組織論〟の方こそ重要であるが、それは手つかずである。

◆革命らしい革命なかった日本近代化の〝欠陥〟

そもそも日本は、当然のことながら、欧米諸国を中心とする世界史の流れに対してはアウトサイダーであり、全くの異端であった。それは何かというと、島国であったという地理的事情もあるにはあるが、そればかりでなく、近代化の過程で日本は文明文化が物凄く遅れてスタートせざるを得なかったことにある。併せて重要なのは、革命らしい革命を何一つ有せず、ヨーロッパ諸国で特徴的な宗教改革も啓蒙時代も経験することなしに近代世界に流入したことである。

革命らしい革命を何一つ有せず、啓蒙時代も経験していないという問題は、その革命が勝利したかしないかの点だけにあるのではない。分かり易く言えば、国民全体がいろんなことに目覚め、自分の考えや自分の意思を表明し、それに従って行動する、そうした自立的経験を有しているかいないかの、その違いである。特に日本の場合、忠孝一筋の儒教道徳を柱とする封建時代の従順な生き方に長い間支配され、馴らされてきた。それが文明開化の明治維新で変えられたかというならば、逆だった。それまでの儒学や国学も皇国思想でもって統一されて、ますます個々人の自我や自立性が否定される体制となった。つまり人権はあってなしであった。かくして明治・大正・昭和の帝国主義時代、散発的な反戦闘争や反権力闘争があったにしても、しかし一定規模の国民を組織した革命的運動に至ることがなかった。そのことがある種、無謀で過酷な侵略戦争をやめさせられなかった一因でもある。

だが今、それを言うと、それは戦前の、はるか昔のこと、今は違うといわれるかもしれない。だが実は、戦後八十年近くも経過した現在にあっても、必ずしも無関係ではない。確かに戦後の民主化でずいぶんと変わった。だがその民主化は敗戦の結果に大きく依存するものであり、必ずしも圧倒的多数の国民が闘い取ったというものではない。直接闘い取ったものでなくとも、全員がそこに至った経緯をよく知り、よく総括し、過去の過ちを深刻に反省した上のものであれば、それはそれなりに血肉化されるであろう。だが、血肉化へと進む前に東西の冷戦時代到来でそれが中断され、逆に戦争犯罪人とされ公職追放されたものさえも社会復帰した。そしてその多くが国政を担うポストにつき、威を揮うようになった。あとは民主化推進よりも、東西冷戦体制の西側に与して反共の旗振り役をどれだけ威勢よく担うかに、政治の中心が移っていった。

したがって変わるべきものが未だに変わらないままなのである。そうした意味で、その国・その社会に、圧倒的多数の大衆が参加した革命闘争があり、直接間接を問わず、多くの国民が革命を経験しているかいないかは、極めて決定的なことなのである。そうした経験を有さないということは、社会的欠陥であり不幸なことなのである。

◆欧米文化に百年も遅れての日本近代化

そうした点から概観すれば、欧米の近代化の歴史にあっては、国の地図が何度も書き換えられるような戦乱が相次ぎ、絶え間なかった。その度に民族の分布も大きく入れ替わり、それに伴って文化も多様に絡み合い発展した。科学革命が進み近代的世界観も形成され、啓蒙思想も盛んであった。

万有引力の法則で知られるニュートンや、経験論のフランシス・ベーコン、自然法思想のグロティウス、弁証法理論で近代哲学への道を開いたデカルト、不法な統治に対する人民の反抗権を擁護したロック、そしてドイツ観念論のカントやヘーゲルの弁証法。さらには『法の精神』のモンテスキュー、『人間不平等起源論』や『社会契約論』のルソー、古典経済学の始祖とされるアダム・スミス、リカードなど、枚挙に暇がないほど錚々たる多くの賢者が輩出し、業績を挙げている。

一七七六年のアメリカ「独立宣言」はそうした流れを踏まえたものであり、人間の自由・平等、圧政に対する反抗の正当性を高々と謳い上げ、一七八九年のフランス革命の「人権宣言」とともに、近代民主政治の基本原理となった。今から二三〇年も前である。明治維新の七、八十年も前である。これだけ欧米の歴史、文化は質的に先に進んでおり、かつ豊かであったのである。

そしてさらに一八四八年、未だ発展段階にある資本主義の歴史にとどめを刺すかのように、『共産党宣言』が発表された。マルクス・エンゲルスの起草によるもので、「一つの妖怪がヨーロッパに現れている。――共産主義という妖怪が――」で始まる世界革命宣言であった。すでにして社会主義運動は、イギリスのロバート・オーウェンや、フランスのサン・シモン、シャルル・フーリエらに代表されるように、いろいろと実践され、一定の市民権を得るまでのうねりとなっていたのである。

そしてこの運動が、資本主義世界にとっての最大の脅威と化し、幾多の転変を経てではあるが、ついに一九一七年ロシア革命へと結実し、良くも悪くも世界を大きく揺るがすことになったのである。

だがそれに比して当時の日本はどうかといえば、『共産党宣言』が出された一八四八年は、未だ江戸時代で、明治維新の二十年も前。浦賀に来航したアメリカ東インド艦隊司令長官ビッドルの通商要求への対応をめぐり、幕閣がてんやわんやしている時期であった。何しろヨーロッパ風の自由民権運動が普及し出したのも、一八七四（明治七）年にフランスから帰国した中江兆民が、ルソーの『社会契約論』を紹介するなどして、私学塾を開いてからである。

しかしその後、日清戦争に前後する頃になると、工場労働者のストライキ闘争などが起こり、高野房太郎や片山潜らが労働組合期成会を結成してその指導に乗り出していた。だがしかしこれらはまさに労働運動の黎明期。それに比して政府の取り締まりや弾圧の方は先行し、一八八〇（明治十三）年には憲法制定前であるのに刑法と治罪法（刑事訴訟法）が公布され、天皇・皇族に対する大逆罪、不敬罪、内乱罪が設けられて厳罰に処せられることになった。さらにまた一九〇〇（明治三十三）年には治安警察法が公布され、政治運動や労働運動の取り締まりを一層強化。だがそのなかで、一九〇三（明治三十六）年には、幸徳秋水、堺利彦らが『平民新聞』を発刊し、内村鑑三らも大々的に非戦論、反戦論を展開、果敢に反政府闘争に立ち上がっていた。社会主義運動もようやく根づきつつあった。

そうした流れの中で、一九一〇（明治四十三）年、天皇の暗殺を企てたとのでっち上げで、幸徳秋水や管野スガら社会主義者・無政府主義者を多勢逮捕する「大逆事件」が発生。これを境にして、日本の社会主義・共産主義運動は厳しい取り締まりと激しい弾圧で、暗い冬の時代を迎えることになった。徳田球一など獄舎に繋がれていた共産党員が自由の身となったのは、戦後の一九四五（昭和二十）年十月以降、占領軍により治安維持法や特高警察を廃止する人権指令が出されてからである。

さらに戦後はどうかといえば、確かに幾多の大規模な平和運動、労働運動が展開されはした。一九四七（昭和二十二）年の不発に終わった「二・一スト」（ゼネスト）を始めとして一九五二（昭和二十七）年五月の「血のメーデー」、そして毎年の大型春闘、あるいは一九五三（昭和二十八）年の内灘基地反対闘争と一九五五（昭和三十）年の砂川闘争、一九五四（昭和二十九）年の第五福竜丸事件をきっかけとする原水爆禁止運動の発足、そして一九六〇（昭和三十五）年の安保闘争と三池炭鉱闘争（ゼネスト）など、日本の近代史上かつてない盛り上がりを見せた。

だがしかしこれらの闘争全体は、一九四六、七年より本格化した冷戦時代到来により、「資本主義か社会主義か」の東西対立に翻弄されて、大衆全体の主体性と自立性、政治的成長を促すものへとは進まなかった。それに国家権力の側は、いち早く公務員のスト禁止指令や破防法制定等で取り締まりを強化。所得倍増や高度成長等による社会の変容もあり、多くの人は政治から離れていった。もしくは個々人の持ち味や特技を生かすことに専念する傾向を強め、今日の高度情報化時代に至っている。

にもかかわらずというか、その故にというか、伝統（?）を重んじ、伝統を取り戻そうとする保守勢力は健在である。二十一世紀の今日でも、学校教育における入学式・卒業式などの式典では、『君が代』起立斉唱や国旗掲揚が至上命令とされ、従わない教師には処罰が下されている。日本の戦後民主化は非常に多岐に亘る大きな変革であったが、にもかかわらず大衆自身の革命的闘争をもって勝ち取ったものといえないだけに、邪《よこしま》な野望が頭をもたげる余地を残している。

◆軍事力で独裁体制が強化される時代に

しかし世界の独裁的支配体制の流れにも変化が生じた。

一九三〇年代までのスターリンはテロや処刑等で徹底的に人民を弾圧し、その意思を麻痺させ、そうすることによって権力の強大化を図った。だが、第二次世界大戦を通じてそれが大きく変わった。それだけではなくなった。恐怖させ隷従させている人民を、今度は「大祖国戦争」の名のもとに戦争を担う行動に駆り立て、軍事力を頂点とする体制へと移行していったということである。

これはソ連が、一カ国としては世界戦争史上最大規模（二一八〇万〜二八〇〇万人）の犠牲者を出して贖ったものだけに、ある意味当然といえば当然かもしれない。だがしかしそれは、当時のソ連だけの問題にとどまらずその後の冷戦時代を経て、現代の多発する軍事クーデターや、蔓延する軍人独裁政権の歴史的背景にもなっている。

　話は少し遡るが、前述の「大西洋憲章」に関わってさらに言えばまず、同憲章はそれより二十三年も前の一九一八年一月に、時のウィルソン米大統領が発表した「十四カ条」を引き継ぎ、その系譜となるものであったという点である。ウィルソンの「十四カ条」は、秘密外交の廃止、海洋の自由、関税障壁の廃止、軍備縮小、ヨーロッパ諸国民の民族自決、植民地問題の公正な解決、国際平和機構（国際連盟）の設立などを主な内容としていた。しかしこれらは、その前年の十一月八日、十月革命で勝利したレーニン等のロシア革命政府が「平和に関する布告」を発し、全交戦国に対して直ちに「無併合、無賠償、民族自決の原則」による講和を呼びかけたことへの対抗として出されたものである。その向こうを張ってのものであることは明らかであった。

　とはいえども、この「十四カ条」と「大西洋憲章」が決定的に異なっていたのはまず、前者はロシア革命政府（ソ連）への対抗を意識してのものであり、対して後者はソ連もこれを受け入れ、ソ連と米・英との連携を明確にしたことである。そしてさらにもう一つ重要なのは、これより以降スターリンは、軍事力強化へ総動員を図り、人民にその力を発揮させ、内に対しても外に対しても武力行使に一層依存して支配する体制を築くようになった点である。

というのは既に第四章で触れているように、スターリンは一九三四年から一九四一年初めにかけて、「見世物裁判」とでもいうべきモスクワ裁判その他のでっち上げやテロを通して、何千人何万人もの共産党幹部や政府その他の機関の幹部を殺害・粛清し、人民を恐怖のどん底に陥れていた。赤軍についても、たとえば輝かしい功績で知られるトハチェフスキー元帥が一九三七年に銃殺されるなど幹部クラスがほとんど粛清されていた。どうしてそこまで？　と誰しも思うのだが、それは「フルシチョフ秘密報告」の説明を借りるまでもなく、でっち上げの罪科でトロツキー支持者らの追放・処刑を次々と進めるうちに猜疑心が昂じ、名のある幹部はもちろん自分に忠実な部下であっても、いつ反旗を翻すかに怯えざるを得なかったからであろう。とにかくそのため、人民全体を最大限恐怖させ、人民の意思を麻痺させ、命令に従わせることであった。

だがしかしそれだけでは、独裁体制を真に強化したことにはならない。まさにそのことが、一九四一年六月二十二日の、怒涛のようなナチス・ドイツ軍の侵入に対する右往左往となって現れたのである。何しろ、スターリンのヒットラーに対する信用は厚く、「近いうちにドイツ軍がソ連を奇襲攻撃する」との情報が、ソ連内部の諜報員からも、そしてチャーチル英首相からも知らされたにもかかわらず、スターリンは取り合わなかったほどである。かくしてドイツ軍の電撃的攻撃で前線の部隊が次々と倒れているのに、「これは何かの間違いで起きていること。ヒットラーが攻め込んでくるはずがない」と言って、「一週間ばかりは茫然とし、反撃の指示さえ出さなかった」（前掲書『十月革命の四十周年』）のである。事実その点については、端無くもスターリン自身が後に自分の言葉で裏書きしている。

『ソヴェト大百科事典』の第二次世界大戦関連項目によると、スターリンはまず「戦争（侵略）の第一日、西欧における二年間の現代戦の経験を持ち、特に戦車、航空機の数においで優勢なドイツ・ファシスト軍は少数のソヴェト守備隊に殺到してきた。……」と書き出しつつ、「それにしても、わが領土の一部がドイツ・ファシスト軍に占領されたということは、その理由は主として、ファシスト・ドイツの対ソ戦争がドイツ軍にとっては有利な条件のもとに、ソヴェト軍にとっては不利な条件のもとに始められたからである。……」と、なんとも同義異語というか、理由にならない弁明の言葉を綴っている。

そしてスターリンが「歴史的演説」と称するラジオ演説で初めて国民に総力戦を呼びかけたのは、なんと六月二十二日のドイツ軍侵入から十日も過ぎた七月三日であった。その間、前線では少数の国境守備隊が、不意を打たれながらも死力を尽くして戦っていた。しかもナチス軍の「絶滅」作戦の残虐さには目に余るものがあり、そのため現地住民が立ち上がってパルチザン活動を展開。敵軍の後方を撹乱するなど死に物狂いで反撃していた。それから十日も過ぎてからのスターリンの反攻演説なのである。

しかし戦局はますます悪化するばかりであった。九月にはレニーングラードが包囲され、キエフが陥落。首都モスクワへの攻撃も始まっていた。

そうした中スターリンは十一月七日、モスクワの赤の広場で閲兵式を開催。出征する軍とパルチザンを前に演説し、「われわれの偉大な先人たちの雄姿をして、諸君を奮いたたしめよ！」と、ロシア王朝時代の六人の将軍の名を挙げた。それはたとえば、十三世紀に西方からロシアに侵入のゲルマン人を打ち破り祖国の危機を救ったアレクサンドル・ネフスキー、一三八〇年タタール侵入軍に大勝したモスクワ大公のディミトリー・ドンスコイ、大動乱期のポーランドからの侵入に立ち向かい国民的英雄とされたクジマ・ミーニン、十八世紀ロシア帝国軍人で不敗の指揮官と称されたアレクサンドル・スヴォーロフ、一八一二年ナポレオンの遠征を撃退したといわれるミハイル・クトゥーゾフ、あるいはディミトリー・ポジャールスキーである。

何と封建体制や資本主義を打倒して社会主義時代を築こうというソ連の最高指揮官が、この危機に臨んで学ぶべき人物・頼るべき雄姿として名前を挙げたのが、打倒対象としてきたはずの皇帝であり、そのもとでの大将軍なのである。これはスターリンが、「祖国大戦争」と銘打って人民を駆り立てようとしているだけに、ある種当然といえば当然ではある。だがここでいえることとは、世界各国の人民と連帯しての社会主義革命拡大でも反戦闘争盛り上げによる敵国ドイツ撹乱でもなく、人民が武器を取り、戦争に身を投ずることなのである。

こうした経緯を経てスターリンは、人民をテロや粛清で恐怖に陥れていたそれまでのやり方から、今度は人民が武器を手にして立ち上がり命令通りに戦って力を発揮する、そうした方向へと変わることになったということである。いわば恒常的な戦時体制が独裁体制の要と化したのである。

そして結果的にはすでに触れているように、翌年の一九四三年二月、スターリングラード戦において、飢えと寒さで戦意喪失のドイツ軍を撃退し、ナチス・ドイツの領土占領をひとまず防ぎ得たということではある。それが一つの転機となってその後は、「……全線に亘ってソヴェト同盟の国境を回復すること」「われわれの兄弟であるポーランド人、チェコスロヴァキア人、その他ヒットラー・ドイツに蹂躙された西ヨーロッパの連合国民をドイツの抑圧から救出すること」（前掲書『ソヴェト大百科事典』）の名目で、東欧諸国等の占領に乗り出したのである。

こうして一九四三年から一九四五年初めにかけて、ソ連軍は、フィンランド、ルーマニア、ブルガリア、ハンガリー、ポーランド、ユーゴスラビア、チェコスロヴァキア、ノルウェーなどに次々と進撃し、多くの国で軍事力を背景に親ソ政権を樹立していった。そしてこれが第二次世界大戦後の勢力地図書き換えにつながり、東西冷戦体制を形づくる上での物的基盤となったのである。

なおスターリンはこの独ソ戦において、天才的な指導をなしたとして数々の称号・勲章を自らに授与(?)した。一九四三年三月には元帥に、さらに一九四五年六月には、これ以上は上がないという大元帥に祀られた。また、一九四三年十一月に第一等スヴォーロフ勲章、一九四四年四月「勝利」勲章を受章。

これらのことは、それまでの「社会主義」の名による統制や、警察力を使っての恐怖の抑圧・弾圧に加えて、今度は人民を軍事体制に組み入れることで、独裁的統治体制の安定を図ろうとするものであった。そして、このような現象は戦後の冷戦時代を経て、世界各国で多発する軍人独裁や覇権主義となって引き継がれていくのである。

現在のロシアのプーチン政権、中国の共産党一党独裁体制、北朝鮮の金政権など、いずれもその申し子といえる。

◆原爆開発で民主主義の優位性がフイに

だが、第二次世界大戦がもたらした軍事力と政権との関係でさらに決定的なのは、アメリカが原子爆弾を開発したことである。つまり、世界に核の傘を被せ、人間全体を核の下に置く時代の始まりである。この核の傘による支配体制は、戦後の冷戦時代を通してますます強大になった。しかしこれは、なんと言い訳し、なんと理屈を付けようとも、人間抑圧体制の極致であり、人間否定を本質とする恐怖の支配体制という以外にない。

第二次世界大戦は確かに、それが本質か付け足しかは別として、ファシズムや日本軍国主義等の全体主義に対し、自由や民主主義を守る戦争という側面を有していた。もともと自由や民主主義といっても、全国民が平等でない資本主義体制の階級社会にあっては、富裕層など支配階級の自由・民主主義ではあっても、支配され、差別され、貧困に苦しんでいる最下層の人間にとっての自由・民主主義ではなかった。とはいえども自由・民主主義を唱道する国である以上、それら最下層の人々にとっても一定の限度でメリットがあったことは、いうまでもない。

そしてもう一つ付け加えるならば、戦争は自由主義の国であれ民主主義の国であれ国を挙げての総動員体制であり、それ自体すでにして自由や民主的諸権利に制限が加えられるのは、いうまでもない。その点では多分に全体主義国家と変わりがなくなる。とはいってもそれが、自由や民主主義の大義のためということであれば、あまり苦にならない制限であったかもしれない。事実、ナチス・ドイツの侵略で国が崩壊の危機に晒されたフランスや、あるいは猛爆を受けているイギリス国民などにとっては、とにかく戦乱から命を守り、その戦争に打ち勝つことがすべてであった。その点では、直接本土を戦乱で荒らされることがなかったアメリカ国民でさえも、特に日本の真珠湾攻撃以降は「挙国一致」の雰囲気が社会全体を覆い、一丸となっての戦争体制を受け入れて戦った。

だが、そうであったにしてもそれは、戦時に限られてのことであり、国民が常態としてそうなったわけではない。つまり自由や民主主義的権利をすべて差し出し、唯々諾々として国家権力に従うようになったというわけではない。個々人の尊厳や民主的諸権利は冒されず、保持されていた。

ところが原爆の開発とその投下は、それらの権利を一気に無力なものにした。とりあえずは、これを投下した日本に対してであり、あるいは将来投下する可能性を排除し得ない他国に対してであるかもしれない。だが他国に対してそれが用いられるということは、国民一人ひとりにとっても、自分たちには手の届かない巨大な破壊兵器が保有されているということを意味する。同時にそのことは将来、他国の原爆保有国から米国民も標的にされる可能性を有するということになる。事実、四年後の一九四九年九月にはソ連が原爆保有を公表。英国は一九五二年十月に、フランスは一九六〇年二月に、そして一九六四年十月には中国も核実験に成功している。そうなると結局、どこの国の国民であれ、守られているはずの自由や民主主義が、一朝にして失われる危機の時代になったことを意味する。

いうなればこの問題は第一に、かかる巨大破壊兵器が一般国民の手の届かない、コントロールの利かないところに保管されているという点で民主主義に反する。第二には、いつ一気に殺傷され、地球そのものが大きく破壊されるかもしれない恐怖の下に、人間全体が置かれ支配されているという点で人権侵害である。それらのことは、国家の統治体制が民主主義的であるか独裁体制であるかの違いを超えて、人間全体を圧迫し、意思を麻痺させ、思想をも拘束することになる。つまり、イザという時に人間が反権力の闘争や社会制度の改革に立ち上がらんとしても、その力を、その意思を、根底において麻痺させ、根底において奪っているという問題である。つまり、原爆開発と核兵器時代の到来は、全体主義に対する民主主義の優位性を一気に失わせ、解消してしまった。

もちろん通常、ほとんどの人間は、核の傘のことはあまり意識しないことにし、考えないようにしている。そうであるゆえに、社会は一応平穏である。その限りにおいて、その枠内において、自由や民主主義は行使されている。だがそれは、意識し、まともに考えたら耐えられないから我慢しているに過ぎない。通常は忘れているにしても、心の奥底には核の恐怖があり、核体制に束縛されている。

　このようにして第二次世界大戦の結果は、資本主義制度を根本的に変革する展望がすっかり打ち砕かれていると共に、仮にそういう展望が見いだせたにしても、その実現へと向かって進む運動の源泉はすでに枯渇し、生気を欠くものとなった。戦後の冷戦時代は、そのような世界をより完全なまでに仕上げてしまった。

　そしてその結果、本章冒頭で紹介したホセ・ムヒカ元ウルグアイ大統領のスピーチにあるように、「人間がグローバリゼーションをコントロールするのではなく、グローバリゼーションが人間をコントロールする」という倒錯状態にまで進んでしまったのである。

第六章　現代の独裁と軍事力

◆冷戦時代が現代史に刻んだ傷痕とは……

戦後、一九四六、七年頃に始まり、一九八九年の米・ソ両首脳の終結声明をもって終わったとされる冷戦時代は、当然のことながら、いろいろと現代世界に遺産をもたらし、現代世界を拘束するものとなった。中でも大きいのは軍事力の突出であり、政権の軍事力依存度が高まったことである。

これは核兵器に代表されるように、兵器全体が物凄く大きな破壊能力を有するものとなったことから、ますます一般国民の認識の及ばない、したがって軍人をも含め一般の人間が使用することなどあり得ない、手の届かないものへと移行してしまったことが一つの要因ではある。だが、冷戦時代はそればかりでなく、人々の政治意識を全く無能なものにした。「資本主義対社会主義」という構図が支配する中で、どちらに引っ張られ、どちらに進んだにしても、それは不毛であった。資本主義に反対し社会主義の側に付こうとすると、その社会主義は資本主義以上に劣悪・野蛮であることを知らされ、その社会主義に反対して資本主義の側に付くとなると、その資本主義は金がすべてを支配し、巨大格差と弱肉強食の劣化社会であることを思い知らされる。

それでもそのどちらかに付こうとすると、あとはもう私的な損得を基準にし、自己中心主義に陥る以外にない。その途端に政治意識は無能になる。なぜなら、政治とは程度の差こそあれ公的なものの考え方を大事にし、より多くの人にとってどうあるべきかを求める意識に他ならないからである。それが否定され、役立つ余地がなくなったとすれば、政治意識を捨て、善悪を問わず自分が生きる道を探す以外になくなるからである。冷戦時代とは、よくイデオロギー対立の時代と評されているが、内実はそういうことであった。イデオロギーがイデオロギーとして機能しないイデオロギー時代、イデオロギー無能化時代であった。

そのためどうなったかというと、権力者にすべてを委ねる風潮、その一般化である。事なかれ主義の一般化である。そこまで後退しないまでも、せいぜい自身が関係する小さい領域内での改革や改善、そのネットワークづくりにいそしむ程度である。「虎の尾を踏む」ではないが、権力者の逆鱗に触れない範囲においての良心的行動である。なにしろ、権力者は前述のように巨大な破壊兵器を掌中にしている。国民全体を掌握する上で、これ以上の優位性はない。政権の軍事力依存度がますます強まるのは、けだし当然となる。

だが実は、要因はそれだけではない。すでに第四章、第五章で明らかにしているように、この政治意識の無能化は、実は壮大な人間精神の崩壊・腐敗を、歴史的な背景とし基盤にしているのである。スターリン主義と闘ったソ連人民はもちろんのこと、世界の共産主義者・社会主義者がどれだけ無惨に打ちのめされ、その信念と精神を崩壊させて消えていったことか。しかもそれはスターリンの手によってばかりでなく、資本主義各国の首脳や世界各国の錚々たる知識人の支持をも取り付けてのことであった。そのことは、多くの場合忘れ去られているが、しかし決して消しきれない悪夢としてどこかに残っている。

そしてこのことは当然にも、もう一つの副産物として、資本主義制度を上回る新たな社会制度がもはや考えられないという、未来への深刻な絶望の念をも、人々の心の底に埋め込むことになった。つまり、そうした思想の陥没、政治意識の解体を背景に政権の独裁体制が許され、しかも軍事力への過大な依存でその権力が強大化しているのである。

冷戦は、世界規模でのそうした体制をより一層徹底的なものにする上で、相応以上の効果を挙げてきたといえる。

◆コントロール不能時代の元がここにある

だがもう一つ大きいのは、「資本主義対社会主義」という構図をもって、世界全体が新たな運動体を形成したことである。つまり、基本的に他と対立する関係がなければ、それぞれの国・それぞれの社会は、それぞれが持つシステムとその中でのリズムによって動く以外にない。そうなると、意図する・しないにかかわらず、自国の有り様、社会の有り様が常に問われ、いうなればまともに運動の諸段階と発展の諸段階を検証しつつ進まざるを得なくなる。その際には、大きな誤魔化しは効かなくなる。致命傷になるようなウソが通らなくなる。

だがそれらの国・それらの社会を巻き込んだ大きな対立軸が他にあれば、そこで対立している相手に照準を合わせ、それがうまく進んでいるかどうかが主たる基準になり、他との対立をもって国の有り様・社会の有り様が評価される。本来の社会自身の発展の有り様は、他との対立関係の有り様に従属することになる。卑近な例でいえば、その国の財政事情が厳しく社会保障が十分でないにもかかわらず、相手国との対立を理由に防衛予算が大幅に増額されても、あまり文句なく通る。あるいはまた、政権に反対する批判勢力を、たとえそれがまともな事実に基づく批判であっても、対立国に肩入れする利敵行為として抑圧し、取り締まったりすることができる。

しかしそれでも、そうした政権の言い分が、それなりに何らかの合理的理由に基づいてなされるのであれば、まだよい。ところがたとえば、敵対勢力と見做し盛んに非難している社会主義なるものが、すでに社会主義とは言えない偽物になっており、権力者の単なる統制手段と化しているにもかかわらず、これをあたかも真の社会主義であるかのように見做し、本来社会主義者が理想とする真の姿であるかのように見立てて批判し、それとの対比で資本主義の正当性を押し通すようなこととなると、対立そのものが擬制に過ぎないことになる。つまり、擬制が国や社会の発展の諸段階を基礎づけ、その原動力になっていることを意味する。そこでは元が事実と違い、ウソで固めたものであるから、必然的に誤魔化しやウソが次々と上塗りされ、事の真実がはるか遠くに追いやられることになる。

冷戦時代は、かかる偽りをもっての対立が、世界的な趨勢となることによって、それぞれの国の政権とそれぞれの社会制度が一定程度、強権的にではあるが、安定的に維持できた。そしてその安定を基盤にして東西の両陣営が、欲望の赴くままに様々な開発や発明発見を積み上げ、より一層大自然を傷つけ、富を増大させ、活発な消費をもたらしもした。

もっとも、冷戦時代における産業経済の発展や、それを推進した様々な技術革新は、すでに第二次世界大戦中にその多くが芽生えていたのは確かである。たとえば、アメリカの原子爆弾の開発はそれにより軍事的優位性を確立したばかりでなく、原子力エネルギー実用化としての原子力発電を生み出すことになった。あるいはまた空軍の役割増大に伴う航空機産業の急成長。戦時中の天然ゴムや衣料品の不足を補うべく進められた人造ゴムや合成繊維の開発など、その後の石油化学産業の発展基盤が形成されていった。さらに重要なのは、電子計算機の開発等コンピュータ技術の基礎が築かれ、冷戦時代に入っての中距離・長距離弾道弾開発競争へとつながることになるのである。

第二次世界大戦中にアメリカで開発されたこれらの技術はいずれも、軍事色の強い、軍事力強化を目的とした、それに動機づけられてのものであった。もっとも、だからと言って何も、軍事体制には他の体制にはない威力があるとか、戦争をすることが発展につながるなどと言うものではない。戦争は、何百万・何千万の兵士や国民の命を奪い、あらゆるものを犠牲にし、多大な破壊と損傷をもたらすものである。強いて言えば、その代償(?)の一部として何らかの新しいものを生み出したに過ぎない。したがって、生み出されたものには人間にとって必要なもの・役立つものもあるにはあるが、呪われたもの・人間を不幸にするものが多々ある。それがどう取捨選択され、どう管理され、どう引き継がれるべきか。ところが冷戦時代は、相手側の陣営に打ち勝つことを主たる基準にしての、いうなれば邪な判断による取捨選択であったことから、玉石混交、あらゆるものを取り入れて、一層それらを発展・繁栄させ、いうなれば悪の華をも咲かせることになった。

こうして冷戦終焉後三十年も経過した現代は、発展と衰退の物凄いギャップを抱えることになった。否、発展が衰退を内包する形になってさえいる。

その大きな現れは、コントロールの利かない、制御不能時代を形成してしまっていることである。個別案件的には、これはこうしなければならない、あれはああしなければならないと解決策が出されてはいる。だが実際にそれをなし得るかとなると、ほとんどなし得ない。真になすには、他分野の問題も含め、もっともっと膨大な総合力を必要とし、大々的な改革をしなければならないからである。そしてその大々的な改革にとってカギを握るのは、政治である。その政治こそが最高に改革の対象なのである。

◆皮相に終わった米中外交トップ会談

二十一世紀の今日、気候危機による大災害がひしひしと迫り、否、頻繁に人々を奈落の底に引き摺り込み、さらには新型コロナウイルス大流行の恐怖が世界中を覆っているのに、世界政治の関心は多分に「経済成長」であり、「米中対立」である。

アメリカのバイデン新大統領は就任早々、中国政府による人権侵害問題を取り上げ、徹底してこれを追及すると宣言した。トランプ氏の前政権よりはまともだが、しかし「人権」が「人権」として全体的な統治体制から切り離されて、特別に自立したものとしてあるわけではない。仮に、中国政府の統治体制全体、政治全体に切り込むその突破口としてであったにしても、では突破した先に何があるのか、何に向かおうというのか。それとも最初から、チベットや新疆ウイグル自治区、香港の民主化運動弾圧問題が本命で、それにブレーキをかけることが出来れば、一件落着だというのか。

ただし、である。人権侵害は、それを人権侵害と呼ぶか呼ばないかは別として、それに類するものが、否それ以上に残酷で悲惨なものが世界中どこにでもある。バイデン政権の責任だというわけではないが、アメリカにだって沢山ある。根強い人種差別や偏見、恐ろしいほどの貧困、巨大格差。そこにどれほどの人権が保障され、守られているというのであろうか。中国そのものに関していえば、十四億人余りの国民の圧倒的多数が自由にモノ言えない状態にあることをどう見るか。それは人権侵害・人権剝奪の範疇外か。逆に、それも人権侵害・人権剝奪だとしても、そう指摘しただけでは何も言ったことにはならない。

そもそも、人権とは何かが問われているのである。議会制民主主義を守り参画する権利、政権を批判する権利、人種差別や民族浄化をはね返す権利、そして健康で平和的に暮らす権利、確かにそれらも人権ではある。だが、中国共産党の独裁的統治体制下にある中国国民は、この統治体制に忠誠を尽くすことが最も重要な人権行使だと信じているかもしれない。人権を語る人間の政治意識、道徳観念が、全く異なっているのである。であるとすると、根本は何か。

このような政治の欺瞞、意識の倒錯。その倒錯の上に構築されている政治、経済、国家、社会制度の全体が問われているのである。だが現実の「米中対立」は、それらが置き去りにされ、否、覆い隠されたままで争われ、かくして空中戦さながらの様相になっている。

はしなくも……というか案の定、バイデン政権発足後初となる米中外交トップ会談で、それが露呈された。二〇二一年三月十八、十九の両日、米アラスカ州アンカレッジで行われた会談は、まさにこの人権問題をめぐる非難の応酬となったのである。どういう応酬であったかというと、米側代表が「極めて憂慮すべきこと」として香港や新疆ウイグル自治区の問題を突きつけたのに対し、中国側代表は逆に米国の人種差別問題を取り上げて「アメリカは中国を批判する資格がない」と反論。香港も新疆ウイグル自治区もチベットも中国の内政問題であり、内政干渉は許さないと断固たる姿勢。内政不干渉の原則を盾に、鉄壁(?)の構えだったのである。

だが、中国外交の常套句とでもいうべき内政不干渉というこの言い草も、いわば全くの眉唾。否、それどころか中国政治の最大のアキレス腱であり、自己矛盾の最たるものである。仮にも、社会主義・共産主義を看板とする政権であるならば、自国内であれ他国内であれ、本来、悪は悪、善は善を貫くのが筋である。それには、世界中すべての人間の解放と、中でも抑圧され虐げられ、苦しんでいる人々の幸せのためにいかに闘うかが建前のはずである。もちろん現実には常に建前通りにいかないにしても、その原則は貫くべきである。

それをなんぞや。中国外交はその逆なのである。よその国の独裁政権がどれほど自国民を虐殺し非道を繰り返していようとも、その政権と友好関係を保ち、国連が非難決議をしようとするや拒否権を行使して決議に反対する。その暴戻なる政権を擁護している。常套句の内政不干渉を盾に、である。もしかするとこれは、同類の独裁政権とはよしみを通じているに越したことがないとする体質の現れか。

◆浮上した〝中華民族の偉大な復興〟対〝新自由主義〟

その中国の問題点をごくごくつづめていうならば、まず一つは、看板とする社会主義・共産主義が、社会主義・共産主義の本来目的とは反対の、人民全体を統制するための手段となり、いわゆる共産党一党支配の独裁体制を維持する手段になっているという点である。そしてもう一つは、それだけでは独裁体制維持が難しくなってきたためにか、もしくは一層の覇権拡大を迫られてか、近年では特に、「中華民族の偉大な復興」を合言葉に経済的にも軍事的にも一層の膨張、強大化を図ろうとしている点である。まさにこのことは、人類社会全体が地球を大きく傷つけ、その限界衝突の危機が叫ばれている現代において、人間社会の全体的行動を抑制するのではなく、それを無謀なまでに拡大する強力なエンジンとなって作用し、危機を一層深めることになるは必須である。

冷戦終焉後、地球を食いものにして社会全体を劣化させ、深刻な荒廃をもたらした主役の第一人者は、「新自由主義」であった。「社会主義に勝利した」を手柄に、「企業活動の自由」「利潤追求の自由」を掲げてあらゆるものを餌食にする強欲資本主義の横行であった。だがその新自由主義も、人間社会そのものを全くダメにしてしまっては元も子もなくなる。稼ぎの場、搾取の場がなくなる。気候危機は災害を連発させるし、独裁体制や虐殺、内戦は蔓延するし、市民・住民の抵抗も大きくなる。おまけに新型コロナウイルスのような伏兵も現れ、自由な市場経済、自由な利潤追求にも陰りが出ていた。

そのような一つの曲がり角、否、停滞と足踏みの時期に、それに取って代われるかどうかは別として、大きく頭をもたげてきたのが中国である。社会主義・共産主義の呪文のような教条で十四億人を束ね、隊列を組み、「中華民族の偉大な復興」を合言葉にして台頭してきた。これは、新自由主義なるものが、いわばいかさまでしかない「資本主義対社会主義」の関係の中でのいかさま勝利で、その意味ではいずれ化けの皮が剝げる脆さを有しているのに対し、他方は「社会主義をもって社会主義を否定する」を通して形成された妄信を力とする中国共産党の一党支配であるゆえに脆さもあるにはあるが、それなりの強靭さがあると見なければならない。一帯一路の開発でアジアから中東、欧州、アフリカへと影響力を広げ、最近ではワクチン外交が大きくモノをいうようになっている。国家が立案し国家が束ね国家が後押しすることなしには、出来ない展開である。

なお付け加えれば、中国のＧＤＰ（国内総生産）は世界第二位で、二〇一八年実績で第一位のアメリカの約20兆５８０２億ドルに対し約13兆６０８２億ドルと迫っている。日本の約4兆9713億ドルの約二・七倍の規模である（『世界国勢図会』第31版）。十年、二十年後にはアメリカに追いつき追い越すのも、夢ではなくなっている。軍事力の展開に関してしても太平洋地域に限ってみるならば、すでにアメリカを上回るほどの装備である。

だが多少先回りして結論の一つを言えば、その行き着く先は双方いずれも同じ餓狼の類が辿る運命だということである。つまり、新自由主義なるものは、個々の資本家が自由に振る舞って、すべてを資本の餌食にする、それを国家が後押しする、という構図。対して中国政権の行動は、個々の資本家が自由に振る舞うのではなくそれを国として束ね、新自由主義よりも一層統一的かつ強力に沢山のものを国家が餌食にするというスタイル。この収奪争いが、いずれが勝つか負けるかは、こうした行動そのものが地球の許容限度とどのような形で衝突し跳ね返されるかによるであろう。それによって、自分をどのように変更し、あるいは抑制するかがポイントとなる。同時に世界が、世界中の人びとが、このような動きをどう評価するかである。とはいってもその人間たるや現在、一九三〇年代四〇年代のスターリン主義の形成から戦後の冷戦時代を通してすっかり政治意識が陥没していることを思えば、果たしてまともに反応できるかどうかは、全くの未知数である。何しろ権力を揮うものは極端に強く、揮われる側は極端に弱くなっているからである。

◆それは中国共産党の宿命なのかも

が、それはともかくとして、である。そもそもこの「中華民族の偉大な復興」の「中華民族」とはいかなる民族を指しており、それはその民族の何を復興することなのか、という点が先ず一つある。スローガンの狙いはともかくとして、それがそれなりに客観性を有しているのか、それともフレーズそのものがフィクションで、自家撞着に陥るようなことがないのかによって、その効能が異なるからである。

歴史を繙くとき中国大陸の統治は、土地が広大で長い歴史を有するだけに、多くの民族が相争い群雄割拠、真に有為転変であった。ごく大雑把に見るならばまず、今から四〇〇〇年も前の紀元前二〇〇〇年の中国初期王朝に始まり、殷、周及び春秋・戦国の時代を経て、紀元前二二一年に秦が興り、同二〇二年に漢（前漢）の建国となった。しかしその後幾多の転変を経て、紀元二五年再び漢（後漢）の建国に至るが二二〇年、『三国志』で名高いところの魏・呉・蜀の三国分立。そして二六五年に晋が建国。のち南北朝時代を経て、紀元五八一年隋が建国し、六一八年隋が滅び唐に代わった。日本では遣隋使（六〇七年）、遣唐使（六三〇年）として知られる時代である。

しかしそれも三百年とは続かず、五代十国時代（九〇七年〜九六〇年）を経て北宋、南宋時代。この後一二七一年、日本にとっては蒙古襲来で因縁のモンゴル族が支配する元の時代になり、さらに一三六八年に漢民族支配の明に代わり、一六一六年には満州族が後金（清）を建て、一六三六年に漢民族を制圧して清と改称し清朝成立。そして一九一一年の孫文らが率いる辛亥革命を経て翌一九一二年には漢民族支配の中華民国となる。この後、国民党と共産党の内戦を経て一九四九年、現在の中華人民共和国（略称・中国）が成立したという経緯である。

その中国の人口は二〇一八年現在で約十四億二八〇〇万人（『世界国勢図会』）。その約九割が漢民族、残りが五十五の少数民族で占められている。したがって「中華民族の偉大な復興」というとき、その中華民族とは漢民族のことなのか、それとも五十五の少数民族をも含めた全体なのか、という点がまずある。多分、現政権の統治下にある全国民、少数民族も含む全体ということになるであろうが、ただしそうなると、今なお盛んに同化を強いられ、迫害に晒されている少数民族はどういう位置付けになるのか。新疆ウイグル自治区の人権侵害、あるいはチベット民族の自治の侵害、それらは「中華民族の偉大な復興」というフレーズにどう合致するのか。

そもそもである。先に見たように、四〇〇〇年にも及ぶ中国大陸の数々の戦乱と統治体制交替史の中で、〝復興〟を叫ばなければならない理由は何か、いつの時代の何に関してのものなのか。いくらなんでも、世界四大文明（もしくは三大文明）の一つとされる黄河文明そのものを指しているわけではあるまい。それはそれで確かに中国文明の大きな誇りであり、もしくは人類史上の誇りではあろうが、だからと言ってそれが直接的な復興対象になるとは言い難い。では何か。歴史の全過程が復興されるべき対象だと言ったとしたら、それでは善も悪も、吉も凶も含めてであり、何も言ったことにはならない。

となると最もリアルで歴史的意味を有するのは、清朝時代の十九世紀中盤から始まる列強の侵略と、それに抗しての戦いを基にした、いわば中国人の誇りを懸けた闘いを源泉とする復権復興。つまり、一八四〇～四二年の英国とのアヘン戦争や一八八四～八五年の清仏戦争、さらには一八九四～九五年の日本との戦争を通して味わった植民地支配の屈辱を思い起こし、まさしく民族の誇りを懸けて戦い、これを退けて発展・繁栄に取り組んできた、その延長線上で強大な国家を築き上げることがコンセプトなのか。そうした思いと位置づけによる可能性が、極めて高いといえる。

だが仮にそうだとしても、そこには論理の飛躍ならぬ、お門違いがある。帝国主義諸国家による侵略や植民地化の問題は、もしそれを撥ね退けようとするならば、国際的な反帝国主義・反資本主義の闘争を自らがいかに拡大していくかにある。そしてその点でさらに言えば、中国が真に社会主義・共産主義を国是としているのであれば、まさしく国際的な社会主義革命の推進にどう取り組み、それを成功させるかに尽きることである。それこそが何にもまして大切な中国共産党の使命であるだろう。それをなんぞや、である。共産党のそうした使命が「中華民族の偉大な復興」に置き換えられるとするならば、それは国の看板と党の主義主張に自らが泥を塗るに等しいではないか。

それにしても、では何故にこのように根拠あやふやなものを堂々と掲げる必要があるのか。それは一口に言えば、ある種、中国共産党の宿命によるものだということであろう。つまり、政権が掲げる社会主義は単なる統制手段でしかないのに、なおそれを掲げ続けなければならないとするならば、それによる何らかのメリットを国民にもたらさなければならない。否、内外に示さなければならない。その一つが、みんなが生活できるに足る経済、それ相応の経済的な豊かさである。その豊かさは、一九八〇年代に入っての鄧小平の改革・開放以来、都市戸籍と農村戸籍の区分等による低コスト労働の犠牲の上に、遮二無二達成するに至った。だがそうなると、国民が次に望むのが、いうなれば「自由」である。それはなお一層豊かになる自由であり、さらには自らが資本家になることとか、政府の統制に服さない自由や民主主義とか、様々である。

しかしそれらが許されるとなると、統制がおぼつかなくなる。社会主義の看板による締め付けだけでは、抑えきれなくなる。一九八九年の天安門事件のような抗議行動が更に繰り返されないとも限らない。だとするならば一定程度国民の欲望を満たしつつ、それを手柄(?)に共産党の威信を高め、独裁的統治体制を維持し強化することが必要となる。そのための施策が一層の経済成長による富の増大であり、軍事力強化を柱とする国の発展・拡大であり、さらには誇りある中国の民族精神鼓舞である。それがいわば「中華民族の偉大な復興」というスローガンであり、これまでの「社会主義強国建設」一点張りフレーズに上塗りされたのである。

◆中国式「トリクル・ダウン」と反腐敗運動

ただし、である。そうすることによって中国が発展・強大化されるにしても、併せて直面する困難な問題は、統治体制を担う肝心の中国共産党組織が、思うようにその役割を果たし続けられるかどうかである。

何しろ中国共産党の党員数は、二〇二〇年現在で約九二〇〇万人（『フリー百科事典、ウィキペディア』）と膨大。いうなれば世界の中規模以上の国の全人口に匹敵する巨大組織である。かかる巨大組織が、すでに革命に勝利（？）し、国家権力を掌握する存在なのである。国家権力を奪取するという役割を終えた革命党の党員が、あとは何を使命とするのかだが、それがいわば難問であり、大きなジレンマである。

本来、「共産党」という名称を持つ革命党であれば、一国で権力を奪取した上は、その権力の行使により自国内の社会主義化を推進することはもちろんだが、さらには他国で闘っている被支配階級の革命闘争支援にも赴くのが任務のはずである。つまり世界人民全体の解放への献身である。しかし中国共産党の綱領には、そういう任務に関わる規定がどこにもない。

確かに二〇一二年採択の党規約の総論とでもいうべき〝総綱〟には、「マルクス・レーニン主義は、人類社会の歴史の発展法則を明らかにし、その基本原理は正しいものであり、強大な生命力がある。」とし、「……マルクス・レーニン主義の基本原理を堅持し、中国人民が自由意思で選択した中国の国情に適した道を進めば、中国の社会主義事業は必ずや最終的勝利を勝ち取るにちがいない。」など、中国共産党が確固としてマルクス・レーニン主義の原則にのっとっているかのような強調ぶりである。だがその一方でさりげなく、「……中国人民が自由意思で選択した中国の国情に適した道を進めば……」と、必ずしもマルクス・レーニン主義の原理原則にこだわらず発展させればよいとしている。そしてその発展形態がまずは毛沢東思想であり、鄧小平理論であり、近年になってからは胡錦濤前主席の「科学的発展観」であり、習近平主席の「新時代の中国の特色ある社会主義思想」ということになっている。

だがそれはともかくとして、その後の規約文面で気づかされるのは、社会主義建設の現状に触れる中で、「……一部の地域と一部の人が先に豊かになることを奨励し、逐次貧困をなくし、ともに豊かになることを実現し、生産の発展と社会の富の増大を踏まえて人民の日増しに増大する物質・文化面の必要を絶えず満たし、人間としての全面的な発達を促進しなければならない。」としている点である。なんと、「一部の地域と一部の人が先に豊かになることを奨励し、」とは、資本主義体制下の、なかでも近年の「新自由主義」的資本主義の「トリクル・ダウン」（滴り落ちる）と一緒ではないか。つまり「富裕層の所得が増加すれば、その一部が貧困層にも浸透して経済成長による果実が全体に行き渡る」とするこじつけ理論と何ら変わりないということになる。しかもこれを党が「奨励する」というのであるから恐れ入る。

かくしてこのことは皮肉にも、マルクス・レーニン主義を中国の国情に合わせて発展（？）させてきた中国社会主義の手法が、世界資本主義の最新の手法と同じであることを示している。そうであればあるほどに、そのような経済成長推進を主要任務とする中国共産党が直面するジレンマは一層深刻。そうでなくとも巨大組織で、かつ権力の座にある期間が長ければ長いほど、ゆるみが出、驕りは高まるし、腐敗もする。

かくして習近平主席は、二〇一二年就任以来、反腐敗運動を政策の柱に掲げ、「虎もハエも叩く」とばかりに、党の要職にあるものや政府高官を問わず摘発、起訴・処罰に乗り出した。だが、興梠一郎著『中国　目覚めた民衆』によると、こうした粛清の嵐に関連して幾つかの海外メディアが、不正は解任された薄熙来政治局委員らだけでなく、引退・現役を問わず、であるという。たとえば習近平主席や李克強首相などをも含め、あるいは前の胡錦濤主席や温家宝首相をも含め、党と国家の最高幹部の多くが家族名義などで海外に多額の蓄財をしていることを報じている。トップが蓄財に勤《いそ》しんでいるとすれば、下部党員も何らかの甘い汁を吸おうとするは、当然である。

だがそうした状況が止めどなく進行するとなると、共産党そのものの自壊へとつながりかねない。巨大権益集団の崩壊である。これは絶対に阻止しなければならない。その危機感は本物であるだろう。かくして自壊阻止へ、一つは反腐敗運動、そしてもう一つは、「中華民族の偉大な復興」の掛け声によるエネルギーの放出、アイデンティティの結集である。それによる経済力、軍事力の一層の強大化である。

◆尾を引く百年前の『中国革命の悲劇』

中国共産党の拭いきれない汚点の一つは、一九二六、七年、国民党への加入戦術により国民党の大量虐殺クーデターを阻止できなかったばかりか、結果的にこれに手を貸すことになったことである。その「裏切り」の数々については、当時これを現地に取材したハロルド・R・アイザックスの名著『中国革命の悲劇』につまびらかである。

中国共産党は一九二一年、北京大学教授の陳独秀や北京大学図書館長の李大釗を中心に五〇余名が集まり創設された。毛沢東もその中のひとりであった。間違いの始まりは、スターリンの指示で、コミンテルンが「中国共産党は国民党に加盟し、国民党強化のために活動すべし」（国共合作）の方針を出し、それに従って国民党への加入戦術を採用したことである。

国民党は、創設者の孫文の死亡（一九二五年三月）のあと、事実上その後釜に蔣介石が座り、一九二五年七月に広州で国民政府を樹立し、翌年より、中国統一のための北伐を開始していた。なかでも蔣介石は共産党の影響力の強い農民運動の支援を受け、自らも帝国主義打倒や世界革命を叫んで労働者や市民等大衆を幻惑し支持を広げ、各地での軍閥打倒の北伐は順調に進んでいた。しかし蔣介石にとって、労働者や農民が国民党軍の進軍を歓迎するのは有り難いが、労働者・農民が覚醒して資本家や大地主に要求を出して闘うことを許すわけにはいかなかった。

そのための鉄槌が、一九二六年三月二〇日未明、広州でのクーデターとなって下された。広州では前年より学生、商人、労働者らが立ち上がり、「広州・香港ストライキ委員会」を組織し、事実上革命政権がこの地域を支配するに至っていた。ところがそこに、世界革命を叫び革命将軍として大衆の信頼を集めていた蔣介石が突如、武装部隊を使って「ストライキ委員会」の活動家や共産党員を残らず逮捕してしまった。これを機に大量虐殺が始まった。にもかかわらずコミンテルンは「これは何かの間違いで生じたもの」と説明し、蔣介石支持の方針を変えなかった。

しかも、クーデターはこれだけで終わらなかった。一九二七年に入り、上海では何十万人もの労働者が反帝国主義の闘争に立ち上がり、反乱が進んでいた。当初はその鎮圧に回っていた兵士や警察官も、その多くが制服を脱ぎ捨てて武器・弾薬を労働者側に引き渡すほどであった。しかし立ち上がっている大衆はこの先、何をどうすべきか方針が定まらず、北伐で進軍してくる国民党軍の到着に期待していた。だが蔣介石は動かなかった。「自分は決して大衆の反対側にいるのではなく、大衆の側にいる」と宣伝しつつ、その裏で共産党と労働者組織に対する一斉攻撃の準備をしていた。かくして四月十二日、テロが開始された。青い服を着たギャングが次々と労働組合を襲撃し虐殺。共産党、労組、大衆の自主的闘争機関は完全に、かつ徹底的に粉砕された。その生々しい模様については、前掲書『中国革命の悲劇』にレポートされている。

それでもコミンテルンは、国民党支持の方針を変えなかった。共産党幹部の陳独秀らは早くから、国民党に加盟し国民党を支持することは大衆を騙し大衆を裏切ることになるとして、これに反対していた。しかしそのため陳独秀はトロツキストだと非難されて党から除名、追放された。

にもかかわらず悲劇はさらに繰り返された。この年、武漢では農民闘争が高揚し、地主の土地が各地で没収され、農民裁判所、農民委員会、農民組合等が樹立されていた。婦人は解放され、迷信は一掃され、全体として約一千万の農民や労働者が組織されつつあった。そうした中、五月末に国民党軍の一部が湖南省の首都・長沙の労働組合を襲撃し百人余りを殺害するという事件が起きた。これに危機感を抱いた農民らが自らを防衛すべく武装して立ち上がり進撃しようとしたところ、共産党がその進撃を抑える側に回った。これを見て自信を得た旧勢力側は報復に転じ、帰ってきた軍閥や地主とともに二、三カ月間で二万を超える農民を殺害した。そして七月までに労働組合等への攻撃が荒れ狂い、共産党幹部らは逃亡した。

つまり、衝撃的なクーデターが一九二六年三月の広州と、一九二七年四月の上海、同年五〜七月の長沙・武漢でと、いずれも共産党が武漢政府や国民党への支持・協力を大衆に呼びかけているなかで、蔣介石の国民党軍や武漢の汪精衛政権によってやられたのである。さすがにここまでくると、国共合作も加入戦術も空中分解し、見る影もなくなった。

しかも……である。今度は支持する大衆も逃げ散っているのに共産党幹部らは、一転して武装蜂起にうって出た。この年の八月に賀竜、葉挺の軍隊に澎湃や朱徳、周恩来らが加わり南昌で蜂起。秋には俗に四省秋収暴動と称される蜂起を計画し、湖南では毛沢東らが蜂起した。いずれも瞬く間に鎮圧され、国民党の討手から逃れるのが精一杯。山間奥地に潜み、井崗山に立て籠もるなどして、パルチザン（非正規軍）による戦いへと転身した。

また以上とは別に共産党の広東委員会は同年十二月十一日、「広州コミューン」（自治政府）設立を宣言して立て籠もったが、これも国民党軍などの殺戮部隊に包囲されて三日間で消滅。数千人が殺害された。

この後、逃げ延びた党員らはそれぞれの道をとり、貧農やあぶれ者等を吸収しつつ「紅軍」を組織し、行く先々で地主の土地を奪って勢力を拡大。こうして一九三一年、江西省瑞金で毛沢東を主席とする「中華ソヴィエト共和国臨時政府」を樹立した。しかしここでも一九三四年、蔣介石軍に追われて瑞金を放棄し、延安を中心とする奥地の陝西・甘粛省を目指して長征することとなった。

ただし間もなく、満州事変を機にしての抗日運動の広がりを受け、一九三五年八月一日、中国共産党は国・共間の内戦停止と抗日民族統一戦線結成を呼びかけた。蔣介石の国民党も一九三七年の日中戦争を機にこれを受け入れ、共に抗日戦を戦うに至ったのである。

しかし、日本敗戦で勝利したはずの中国では戦後、国民党と共産党との衝突が再燃し、一九四七年から内戦に突入。この内戦で、八路軍などと称された共産党軍は土地改革などで農民の支持を広げ勝利。敗退した国民党は台湾に逃れた。一九四九年十月、毛沢東を国家主席とする中華人民共和国が成立したのである。

しかし以上の経緯で見られることは、共産党は一九四九年に政権奪取に成功したにしても、一九二六、七年の、中国史上最大の圧倒的多数の大衆による革命的闘争の盛り上がりに対し、結果的にではあれ、これを売り渡し壊滅させた歴史を有しているのである。それは過去の単なる一つのエピソードとして済まされることなのか。というのは、その時の革命の勝敗としてばかりでなく、党と大衆との間における信義の問題、党の体質の問題としてあるからである。

　したがってそのような歴史を有する党が政権の座にあるとしても、自らの汚辱に満ちた背信の歴史をどう総括したのか、果たしてそのような誤りを認めて再建に向かい政権を奪取したのかは、極めて重要である。それは社会主義・共産主義に対する好き嫌いの問題ではない。天下の公党として、やること・なすことに責任がもてるのか、信用できるかの問題を提起している。

◆「鉄砲から政権が生まれる」（毛沢東）の深刻な意味

　だが不思議というか歯がゆいことに、一般の歴史教科書ばかりでなく名だたる専門書にあっても、その辺の記述についてはまことにおおらかで、当事者たちの発表通りである。つまり、中国共産党は一九二七年秋の無謀な武装蜂起に失敗し、その後、農村に入り辛酸をかさねて紅軍を建設し、地方から中央に迫り、政権を奪取するに至ったという筋書きである。そこには最も重要な、一九二六、七年の国民党との関係をめぐる誤りと、それをきっかけにして転換した武装蜂起後の根拠地づくりが、いかなる革命党を建設することになったのかが何も分析されず、中国特有の共産党建設ということで終わっている。共産党という名に値する党なのかどうかを問わないままである。

しかしこれは重大な問題なのである。中国特有の共産党、結構である。あるいは今、習近平主席がしばしば口にするところの「中国の特色ある社会主義……」も結構である。だが結構ではあるが、それでは「中国特有……」とか「特色ある……」とは何なのかが何も明らかにされずに、免罪符ででもあるかのようにすべてが正当化されている。少なくともそれは、学問ではない。社会科学の科学に値しない。

事実は、オーソドックスな社会主義革命と伝統的マルクス主義の放棄であった。社会主義、マルクス主義は隠れ蓑でしかなかった。地主に支配され、反感や恨みをもつ貧農を反地主闘争で組織し戦士に仕立て上げるのは、ある種容易である。地主が憎い、土地が欲しいという感情、欲望を刺激すればよいからである。だがマルクスやレーニンは、それ自体では社会主義革命の担い手にはならないと明言している。それだけでは自分たちが単に新たな支配階級・搾取階級に取って代わるに過ぎず、階級社会そのものの廃絶を目指す社会主義にとっては、却って障害になるというのである。一旦土地を手に入れた農民は、今度はそれを守ることに必死で、それ以上の平等と自由な社会を目指す運動に反対するからである。

そもそも社会主義革命とは、支配者に対する憎悪や要求の闘いから出発したにしても、それだけで終わる運動ではない。その闘いを通じて、いかに自分たちも覚醒し、自分たちのためだけでなく全人間にとって幸せな社会を築いていくかにある。その点では、労働者階級（プロレタリアート）は闘いの出発点から、職場闘争や生産管理を通じて企業経営の在り方や社会全体の在り方を学んで自己変革をなしていき、革命の主体になり得るというのが、マルクス等の理論であった。もちろん現代においてその理論がストレートに通用するというわけではない。しかし原理的にはそうであった。もしマルクス等の理論を党の支柱に据えるのであれば、少なくともその辺りのことはきちんと仕分けしておくべきである。

ところが中国共産党は、自らの誤りで大衆の革命的闘いを潰してしまったのを機に、今度はそれまでのやり方を何の説明もなしに投げ捨てて、いうなればその意趣返しとでもいうべき形で、被抑圧大衆を運動の主体とすることを止め、プロ的な武装集団としてのパルチザン組織を主体とすることへと転じた。つまり紅軍の建設である。そしてかかる武装集団の軍事力をもって農民等大衆を組織し、それで革命をなし遂げるというやり方である。これは貧農の側に立とうが、あぶれ者の側に立とうが、商工業者の側に立とうが、さらにはまた地主の側に立とうが、リードし指揮命令するのは紅軍であり、つまり人民軍であり、その限りにおいて他の人間はこれに支配される関係となる。いわば、被抑圧大衆全体の自主性、主体性は最初から無視され踏みつけにされている。つまり、民主主義的条件など最初から存在しない。この一事だけを見ても、それは伝統的な社会主義の概念に著しく反する。少なくとも、マルクス主義やレーニン主義を引き合いに出す資格はない。もっとも、それが「中国の特色ある」やり方だというのであれば、それは、何をかいわんや、ではある。

毛沢東の名言とされる「鉄砲から政権が生まれる」は、それがどこまで実際にそうなのかということよりも、中国共産党による政権奪取は被抑圧大衆・被搾取階級によってではなく、もしくは多くの大衆の覚醒と意識改革によってではなく、軍事力とそのプロ集団によってなされたものであったということを物語っている。

このことは、歴史的な類推を用いるならば、本書第四章・第五章で触れているところの、スターリンの「大祖国戦争」にかなり似通っている。つまり、スターリンは一九四一年六月、突如としてドイツ軍がソ連領内に侵入し攻撃を受けているにもかかわらず、しばし茫然とし、何の指令も出せない状態にあった。それは、信じていたヒットラーがなぜ侵略するのか？　と信じられなかったばかりでなく、それまでスターリンは粛清に次ぐ粛清で人民全体を恐怖のどん底に追いやり、なおその上に軍幹部の大半が粛清で薙ぎ倒されており、軍組織は病み、とてもではないがドイツ軍を迎え撃てる状態になかったからである。

だがしかしそこに、否それにもかかわらず、反転攻勢へ打って出る希望の光が、かすかながら見えてきた。それは、越境して攻撃してくるナチス・ドイツ軍があまりにも残酷で、現地住民を次々と虐殺・凌辱し、あらゆる物資を略奪するという苛酷なものであったことから、誰に指示されたわけでもなく住民が立ち上がりゲリラ戦を展開。ドイツ軍の後方を撹乱して、一定程度侵略を食い止めていたことにある。そのパルチザンの戦いを知らせる報告が、スターリンにとっては立ち上がるきっかけとなった。

かくしてその後スターリンは、モスクワ陥落の危機が迫ったこの年の十一月、赤の広場で閲兵式を開催。出征する軍とパルチザンを前に演説し、ロシア王朝時代の将軍の名を挙げ、その偉大な先人に倣って「大祖国戦争」勝利へ一丸となって戦うことを呼びかけたのである。しかしこのことは皮肉にも、スターリンのでっち上げ裁判やテロに恐怖し心を閉ざしていた一般国民・一般大衆を、大きく奮起させることになった。というのはそれまでの長い間、弾圧に恐怖し、自己主張したくても何も言えなかった人民には、フラストレーションが溜まりに溜まり限度いっぱいになっていたからである。そこに欲求不満の捌け口になる戦争への参加、しかも恐れていたスターリンのお墨付きとなると、思う存分動き回り勲功をたてられる。戦争で相手を殺すことがよいかどうかは、二の次三の次。しかもスターリンはこの戦争を通じて自らに大元帥の称号を授与したばかりでなく、手柄を立てた国民にも恩賞を与えることとし、戦意高揚をはかった。

かくしてこの大戦争の帰趨は、スターリンをして米・英首脳と同格の地位に押し上げるとともに、国民に十二分に力を発揮させ、却って独裁体制を強化し安定させることになった。そして戦後世界の軍事力依存時代に道を開くことになったのである。

まさにこのことは、大衆的な革命闘争の破綻を契機に一転して農村地帯に落ち延び、紅軍を建設して反地主闘争を進め、その延長線上で国家権力を掌握した中国共産党のプロセスと、共通するものなしとせず、である。

◆「偽の社会主義」が今や独裁正当化の守り札に

いうまでもないことながら本来、社会主義とは最高に民主主義的なものであり、徹底的に民主的であることを目指すものであった。それなのに、その社会主義を看板にし、その社会主義の名をもって、独裁的な統治体制を正当化するとなると、その独裁支配はある種盤石である。なぜか。なかなか反対できないからである。つまりそこには、社会主義とはみんなのための社会システム、みんなのための社会づくりを目指すもの、という観念が前提とされているからである。実体がその通りであるかどうかは、ひとまず関係がない。とにかくそういうことで押し通されてしまう。

何しろみんなのための社会制度とかみんなのための社会づくりが目的だということになると、それ自体が、国民が主人公、住民が主人公であることを意味することになる。つまり国民を重んずるわけだから極めて民主的なことだという観念にすり替えられてしまう。そういう理屈が、そういうまやかしが、通ってしまう。となると、これを覆すには、社会主義とはそもそも何なのかの点まで踏み込んで反発しなければならなくなる。ところがこれがまた厄介である。

厄介だという理由は、そういう面倒な、面白くもない議論に付き合う気は毛頭ないし、勉強するつもりもない、という事情がある。が、そればかりではない。そもそも社会主義とはこういうものだとして、スターリン主義とスターリン支配のソ連を例に持ち出して、その後進性を盛んに攻撃してきたのが資本主義の側、つまり世界の資本家階級とその御用学者であった。したがって、それと異なるような観方は、資本主義国の政権が許さなかった。スターリンの統治の仕方やソ連の実情を真の社会主義に見立て、真のマルクス主義に見立て批判し攻撃していれば、それで十分であったからである。資本主義体制の得点になった。大衆に資本主義反対の気分を起こさせないためにも、一生懸命そういう宣伝をし、それ以上、本来の社会主義とはどういうものかを考えないように、言わせないようにしてきた。そのため冷戦時代以降特に、そういう観念が定着してきた。洋の東西を問わず、日本も世界も、である。であるから、今更この忙しい時代に、昔の事をほじくり出して問題にするは愚かなことだと、誰もが見向きもしなくなっている。

つまりそういうことで、たとえば中国共産党が、共産党一党独裁の統治体制を社会主義の名において正当化し、マルクス・レーニン主義継承の名において正当化していることに対し、それはウソだ・いかさまだというような批判は、出来なくなっている。結局それは共産党自身の偽りによるばかりでなく、資本主義の側が、資本家階級の御用学者たちが手を貸して、共産党の偽りにお墨付きを与えてきているからである。ということは、双方の合作でなされてきた歴史的でっち上げなのである。

であるから今日、人権問題等をめぐり米・中が激しくやり合ったにしても、中国側が社会主義の名において自身を正当化する限り、それ以上突っ込みようがなく成果が上がらない。お互いに脛に疵もつ関係というか、いうなれば共犯だからである。

さらにはまた、最も民主的であるはずの社会主義の名において独裁統治がなされ、それが通用しているとなると、どこの国でも独裁支配はお茶の子さいさい、容易に導入出来るということになる。つまり、繰り返しの言及になるが、最も恵まれない最下層にある人たちを救うことを本分とする社会主義を共産党が看板にしているわけであるから、独裁統治とはそれほど悪いことではないという観念をいつの間にかばら撒くことになる。独裁統治をする方も、される方も、けじめがつかなくなるというか、罪悪感が希薄になる。かくして、この数十年間、世界各国で雨後の筍の如く、独裁国家が誕生した。それにはいろいろな要因・理由があるにはあるが、やはり決定的な支えとなっているのは、社会主義を掲げる国でやっていることなのだから、という言い分が潜んでいるのは間違いないであろう。

その証拠は、共産党一党支配の中国が、多くの独裁体制の国々と親密であることの中に、紛れもない事実として隠されている。二〇二一年二月の国軍クーデターのミャンマーとの関係については、あまりにも国軍が市民を無差別に射殺している様子が伝えられていることから、さすがに少しは付かず離れずで、積極的な支持を表明していない。それでも国連がミャンマーへの武器輸出等を禁ずる決議をしようとすると、内政不干渉を理由にロシアと共に反対している。まさにそのミャンマーの国軍こそ、中国のような自称社会主義の大国が独裁体制なのだから……と、それを盾に少しも悪びれず、いろんな抗議や非難にも痛痒を感じないのであろう。

さらに言えば、そもそも内政不干渉というこの言葉は、どこから出てきたのか。マルクスやレーニンの理論からか、社会主義の経典からか。そんなものはあろうはずがない。何度も言うように、社会主義者であれば自国内であろうと他国内であろうと、酷い仕打ちがあれば直ちにこれを非難し、さらには馳せ参じて被害者を救出せんとするのが自然の理である。少なくともその姿勢を保つのが、最低限のモラルであった。それをなんぞや、である。

振り返るときにこの内政不干渉というフレーズは、一九五四年六月、当時の中国の周恩来首相がインドのネルー首相との会談で確認した「平和五原則」（領土主権の尊重、相互不可侵、内政不干渉、平等互恵、平和共存）なるものの一つではあった。いうなればそれは、国家権力を掌握し国を支配するものが、その縄張りを守らんがための掟でしかなく、その動機からして、決して立派なものでも綺麗なものでもなく、むしろ汚いフレーズに過ぎない。

まことに現代における社会主義と独裁との関係は、「死せる孔明、生ける仲達を走らす」などというものではない。「偽の社会主義なる〝死せる社会主義〟が、現代世界の首根っこを押さえ、悪質な独裁体制正当化の守り札になっている」のである。

第七章　国家が桎梏と化した時代の克服

◆緊急事態だからこそ大いに動き、働くべし

新型コロナウイルスの流行が止まらない。二〇二一年四月の今、流行が始まってからもう少しで一年半にもなるというのに、感染者数が過去最大を記録し、流行は確実に第四波の様相である。もちろん、第四波であろうが第五波であろうが、感染症には元々ひと筋縄でいかないものが多々あり、そのこと自体が問題だというわけではない。

むしろ問題なのは、国や社会はどのようにこの流行を受け止め、これを機に人々はいかなる行動をすべきか、何に取り組むべきかを、どう明らかにしてきたか、である。明らかにしてきたのは、流行を終息させることだといえばそれまでだが、しかしそれでは答えたことにならない。流行終息はもちろんだが、どういう行動をし、どういう取り組みをする

中で終息させるのかが問題なのである。そうでなければ、終息が終息になり得ない。終息したつもりでも、再び流行に追われることになる。

というのは元々、コロナ対策は、コロナ対策にしてコロナ対策にあらず、なのである。つまり、ウイルスの移動（感染）を遮断する直接的な措置だけでは限界があり、それをも含めてではあるが、何よりもウイルスが湧き出る素地全体を絶つようにしなければならない。したがって、この度の新型コロナウイルス大流行を受けて、人類社会は何をどう受け止めるかがまず重要である。流行を生み出すことになった背景としての経済や社会や生活等全般の在り方について、見直すべきことは何か。何から手を付け改善していくかを見定め、それをひとつずつ実行に移していくことである。

以上のような考え方については既に、本書第一章・第二章で触れているところではある。少なくとも現在、感染症発祥の背景になるものとして分かっていることを挙げるならば、一つはまず地球温暖化による近年の気候異変である。そしてさらに、無秩序な開発による森林伐採や自然破壊、環境汚染、生態系の撹乱、不衛生な過密都市環境や大量生産・大量消費・大量破棄による自然への過度な負担、野生動物の捕獲・捕食（ブッシュミート）、貧困や不健康な生活等々、二十世紀以降の人類文明によってもたらされた様々な問題が積もりに積もり、直接・間接を問わず、それらに起因すると見られている。

もちろん以上のような点については、特定の専門家のみならず多くの識者によりすでに指摘されていることではある。そしてまたこれらは、感染症対策としてのみ必要とされているのではなく、いずれ人類社会全体がその存亡に関わることとして、早急に解決しなければならない問題となっていることも確かである。逆に言えばそれだけに、これらの重要でかつ複雑化している問題を、新型コロナウイルス大流行を機に、出来るところからではあれ、いかに多くの人がそれぞれの問題意識と工夫で改革・改善に取り組んでいくか、そのための行動をいかになすかが問われているのである。

したがって現在大事なのは、人々が動けば感染拡大になるゆえに、動かず、閉じこもっていよう、などというようなものではないはずである。むしろ大いに動くべし、働くべし、活動すべし、である。もちろん、動く、働く、活動するは、必ずしもこれまでと同様の動き、働き、活動を意味しない。意味しないばかりでなく、それ以上に、コロナ禍時代であるゆえに動かなければならないこと、活動しなければならないことがヤマとある。

そもそも、である。これは日本のみならず世界各国においてのことであるが、パンデミックに対しての緊急事態宣言とはなんなのか。感染症の流行を発生せしめていることに対してのことであるならば、その流行阻止に総力を挙げて取り組むのは当然である。この分かり切った言い回しを逆に問題にするとして、では総力を挙げるとはどういうことか。緊急事態宣言下となると、忙しくなるのは保健・医療関係者を始めとし、その他には国であれ自治体であれ、指揮・命令をする側、あるいは運輸・交通・通信・電気・ガス・水道・食料・消防・治安その他社会機能を維持する上で必要不可欠な業務従事者、いうなればエッセンシャルワーカーなど限られた人たちだけである。対して国民の圧倒的多数は、仕事も学業もスポーツも娯楽も休みになり、全然忙しくなくなる。つまり、国全体としては総力を挙げるのでなく、総力が削がれ、総力発揮がなされないようになっている。これが緊急事態宣言の内実である。

これは論理上の矛盾であるばかりではなく、論理そのものが破綻し、論理的に成り立たないやり方である。論理的に成り立たないやり方に碌なことがあろうはずがない。というのは、喩えは適切でないにしても、これでは牧場に飼われている牧畜の管理と何ら変わらなくなるではないか。つまり人間が牧畜同様に、緊急事態宣言下であろうがなかろうが、従来と同じ動きしか出来ない動物であることを前提にして、あとは動かないに越したことがないとして管理され、規制されようとしている。本来、緊急事態であれば、これまでやらなかったこと、やれなかったことに取り組む、そういう取り組みに命を燃やす、これが緊急事態に立ち向かう心意気というものであるだろう。そうした事柄・やるべき事柄をどう提示するか、もしくはみなで考えるか、それこそが緊急事態宣言の本分でなければならない。為政者が決まり文句のように口にする、国民の命と健康を守るとは、それが真であるためには、みんなの生命が輝き、健康の増進が図られることでなければならない。動かない、働かないを本分とすることで、どうして命が輝き健康の増進が図られるというのか。守るとは、単に外部との間に壁を造り、ガードすることではないのである。

ところが国会等の論戦でも、あるいはメディアの特別番組でも、そうした視点からの提起がなく、緊急事態宣言発出のタイミングが良かったか・悪かったかとか、宣言解除が適切だったか・早すぎたのではないかなどのやりとりに多くの時間が費やされている。緊急事態宣言下の重要時期に、普段できなかったことがどれだけできたか、身近な例でいえば医療体制の整備・充実がどれだけ進んだか、ワクチンや治療薬の開発・生産にどう目途がついたかなどがもっと問題とされてもよいはずなのに、それが真正面から取り上げられ議論されていない。これこそがまさに、緊急事態というべきである。

◆コロナ禍で分かった安倍・菅政権のもう一つのツケ

それにしても、日本政府のコロナ対策は、あまりにも稚拙で断片的、体系性に欠ける。これはどうしてか。それは偶々《たまたま》か。

流行の当初は、それなりの弁明がなされていた。たとえば、韓国や台湾、ベトナムその他のアジア諸国は、ＰＣＲ検査や病床の確保など迅速になされているのに、日本が大きく立ち遅れているのはどうしてかの問いかけ。これに対する言い訳としては、日本は韓国や台湾と違って、二〇〇二年から二〇〇三年にかけて中国等で大流行したＳＡＲＳ（重症急性呼吸器症候群）や、二〇一二年から二〇一五年にかけて中東や韓国等で大流行したＭＥＲＳ（中東呼吸器症候群）がほとんど流行せず、したがってその経験がなく、その分、感染症に対する危機意識が薄く、備えが十分でなかったとの説明である。だが、それら感染症の日本流行がなかったとはいえ、それを教訓にしなかったことの方がむしろ叱責されるべきで、日本に流行がなかったことを理由にするは間違いも甚だしい。さらにまた、仮にそういう経緯があったにしても、そのような弁明が通用するのは、流行当初に限ってのことであろう。つまり数カ月、半年も経過すれば立ち直って然るべきである。それなのに、半年が過ぎ一年が過ぎてもチグハグで、体制整備が不十分である。

そこで考えられるのは、現在の政権には体質的に、このような不測の事態に対処する能力が根本的に欠けているのではないかという点である。それはこれまでのいろんな取り組み事例からもはっきりと窺える。

たとえば二〇二〇年二月末、時の安倍晋三首相は突如、三月初めからの全国小中高校一斉休校を宣言した。何の理由説明もなく、見通しも示さずに、である。そうかと思うと、笑い話にもならない「アベノマスク」配布や、優雅な応接室でくつろぐ首相自身をモデルにしたステイホームの動画配信、そして緊急事態宣言で外出制限を訴える傍ら〝Ｇｏ Ｔｏ〟キャンペーンに多額の補正予算を付ける無定見。

また、安倍政権の継承を旗印に二〇二〇年九月十六日スタートの菅義偉内閣も然りである。〝Ｇｏ Ｔｏ〟へのこだわりもさることながら、国民の七、八割が否定的に見ているオリンピック・パラリンピック開催を、無観客でも実施する方針である。誰が何のためにやるオリンピックかの疑念が高まるなか、先にいち早く緊急事態宣言を解除した大阪府が、今度は緊急事態宣言ならぬ「医療非常事態宣言」なるものを発出するに至った。続いて四月十二日には東京のほか全国の幾つかの府県で「まん延防止等重点措置」を実施。そしてさらに四月二十五日から五月十一日までの十七日間、四都府県対象に三度目の緊急事態宣言である。そこには、このコロナ禍のなか、どこに照準を据えて政権運営をなしていくかの全体像がない。

どうしてこうなのか。直接的には、安倍政権時代の長期にわたる忖度行政で、政治家ばかりでなく官僚諸氏の意思が萎え、感覚が鈍ってしまい、変化する状況に対し、有効・適切な発想や提案がなされないようになったことが要因の一つではあろう。つまり各省庁のどこからも官邸に対して、総合的な対策についての献策がなされない状態になっている。下手に何かを提案して顰蹙をかうようになったり、睨まれたりしては損だという自己防衛意識が先に立って、情勢がどうあろうと動き方に変わりがなくなっている。

だが、それに加えて重要なのは、安倍首相以来の政権運営が、ある信条もしくはある目標への強いこだわりを基本にして進められ、それ以外のものは半ば排除され、意識が向かわないようになっていることによる。ある信条、ある目標とは、〝日本を取り戻す〟に象徴される戦前回帰の富国強兵路線であり、天皇制に基づく忠君愛国的道義心への郷愁、それらに支えられた「強い日本」へのこだわり、いうなれば強烈な国粋主義への傾斜である。この〝日本を取り戻す〟のスローガンは、自民党が政権奪還を果たすことになった二〇一二年十二月総選挙のメインスローガンであり、とりあえずの終着点が憲法改正であった。また「強い日本」は安倍晋三氏が二〇一三年一月出版の著書『新しい国へ』の表紙を飾るキャッチフレーズでもあった。

こうして安倍政権はそのスタート以来、まずは二〇一三年十二月に日本版NSC「国家安全保障会議」を設置し、同月これとセットになる「特定秘密保護法」を成立させた。さらに二〇一四年には、戦後歴代内閣が辛うじて維持してきた武器輸出禁止三原則を廃止し、防衛装備移転三原則と称する武器輸出容認三原則を閣議決定。極めつけは同年七月一日閣議決定の憲法解釈変更による集団的自衛権の行使容認。その上に立って二〇一五年九月には、「平時から有事に至るまで切れ目のない安全保障体制の確立をめざす」と銘打つところの安全保障関連法を成立させている。つまり、そうした国家主義的方向推進に向け、官僚人事ばかりでなく各種関係機関の人事や関連施策をも動員し、一路邁進であった。

だがこうした政権運営は、定めた目標到達にとっては効果的であっても、それ以外の問題への対応、なかでも新型コロナウイルス流行のような想定外の、しかも全国民に関係のある、ウソや誤魔化しが利かない事態到来ということになると、全く融通が利かず動きが取れないことになる。そもそもある種、信仰の世界にも似た一本の軸に全てを懸けようとする政権である。つまり戦前日本への回帰と「強い国日本」という国粋主義的信念、そしてその最終的な実績づくりになるものとしての憲法改正、それに向けてわき目も振らず（？）取り組んできた政権には、それ以外のことには当然にも拒絶反応があり、不測の事態に対応する広い視野や柔軟性も、精神的余裕もない。となると、行政全体が金縛りにあったように硬直化せざるを得なくなる。したがって安倍晋三氏が、驚天動地ともいえる新型コロナウイルス大流行を受けて二〇二〇年八月、体調不良を理由に突如辞職表明したのも、無理からぬことであった。

八年余りに及ぶ安倍・菅両政権の罪は、それが右翼的国家主義的統治で様々な劣化をもたらしたばかりでなく、日本をして変化への対応が苦手な、したがって生き抜くことが下手な国に追いやったことである。そのツケを払わされる国民にとってこれは、たまったものではない。

◆国家超えた視点からの取り組みが重要

俗に、「外交（もしくは戦争）は内政の延長」と言われる。良くも悪くもある程度は、事実そうなのであろう。だが、二十一世紀の今日においてはむしろ、これを反対に用いることが重要である。つまり、正しい外交、有意義な外交があってこそ内政も正しく、有意義なものになる、そうした関係への転換である。

これは現時代が、グローバル化に象徴されるように、世界中のすべての問題がより一層緊密に関連し合うようになっていることが、一つの理由ではある。だが、それだけではない。その関連し合っている問題が同時に、大自然の、もしくは地球そのものの限度いっぱいにまで広がり、その限界と衝突してははね返されるか、もしくはその限界を打ち破って大自然を破壊し、地球のシステムを大きく狂わし兼ねないギリギリの状態にあることが、さらに大きな要因となっている。これは温暖化による気候危機にしても、あるいは核兵器を始めとする軍事力の強大化にしても、さらにはマイクロプラスチックの粒子が海を汚し空気を汚し魚介類を汚し、ついには家畜や人体を蝕むまでに立ち至っていることにしても、いろんな領域において見られることである。いずれも、グローバルに現象し、かつグローバルに取り組むことなしには、克服し得ない状況に人類全体が直面していることによる。近年の新型コロナウイルス大流行の問題も、すでにしてそれらのことを容赦ないものとして突き出しているといえる。

要するに以上の事は、各国が抱える問題が各国だけの問題ではなくなっていることによる。それは今や、抱えている問題が世界的領域において他と結びつき、そこからはね返って再び各国が抱えている問題に影響を与え、解決を難しくしていることによる。したがって政策の出発点は、国内問題としてばかりあるのではない。それは併せて国際的な問題としてあるということになる。むしろそうした世界的な全体的視点からの方がより問題を正しく把握できる長所を有する。そうした取り組みの方が、問題の解決をより的確に為し得るという関係である。全体がよく見えるということは、その解決に際しても透明性が確保され、誤魔化しようがない形で進めることができるからである。国際的に通用しないものは、国内的にも通用しないと銘記すべきである。

つまり当初のテーマに関わって再度注釈するならば、内政から外交へというパターンではなく、外政から、その外政を実現するがための外交、そしてその成果を糧にしての内政、というパターンになる。それがグローバル時代の、そして「限界衝突時代」の求められる政治の在り方ということになる。

だがそうなると、以上のような転換を、どう為し得るかがカギを握ることになる。それが第一の関門である。形式上は、現在比較的それに近い任にあるのが国連であり、国連の諸機関ではある。だがその国連は、建前的にはどうであれ、加盟各国の利害調整が主たる仕事になっており、まさにそれぞれの国家の国益と称されるところの自国第一主義あっての国際機関なのである。つまり世界全体があっての国連ではなく、国家があっての国連なのである。国家が主で国連が従なのである。この関係を打破し、逆転させないことには、事がはじまらない。

では、それはいかにして可能か。それを為すためには、先ず何よりも、国家の役割がすでにして相当程度終わっており、これ以上の存立はメリットよりもデメリットを大きくするだけであることを明らかにしていくことである。国家は今や国民を束ねるに足る価値がなくなった。否、束ねること自体が現代にあっては、却って障害なのである。もしも国家になお残る役割があるとすれば、それはせいぜい、社会維持に必要な単純業務、技術的事務的作業を分担所掌する機能程度ということになるのではないか。つまり、あらゆる問題がグローバル化し、かつまた人類社会が地球の限界と衝突するに至っている現代においては、国家の役割は低下し、グローバルな視点でのグローバルな政治にその席を譲らなければならない。国家を超えた、国家をも従わせる、新たな視点と新たな尺度からの政治に、である。

一般に国家は保守的である。それはある種、国家が階級社会の産物でもあるからである。国家は建前的には、その社会を構成する諸階級間の利害対立を調整し、階級対立により社会が分裂しないようにすることを目的とする。だがしかし、ではその実務を誰が所掌するかとなると、それはその社会で最も力があり最も多くの利益を得ている支配階級によってである。もしくは支配階級の意向を汲んだものによってなされる。そこには、どの階級にも属さない、どの階級に対しても公平な調整など存在しない。そのために、国の裁定に対し不満が生ずるのは珍しくなく、それは時として反乱を引き起こす。かかる場合に備えて国家は、平時の官僚や警察、裁判所などのほか、反乱取り締まりや鎮圧に当たる常備軍を用意している。常備軍は一義的には他国との戦争時に機能するが、しかし基本は国内国外を問わず、現行の国家体制を揺るがすようなあらゆる動きに対して仮借なく立ち向かうことを本分とする。

以上のような国家の存立理由からして、国家の利害、つまり国益なるものを一定程度でも犠牲にして、もしくはそれを抑制して全体のために何かをなすということには、反対が生じたとしてもやむをえない。だが、現代は一時代も二時代も前の昔と異なり、国家の枠組みを取り払った世界的視点から取り組まないことには、国家そのものも沈没する運命にある。これらのことを根気よく説明し、世論を盛り上げていく以外にない。国家の役割低下と国家の消滅は、ある種、これまでの国家が生み出した歴史の止めることのできない流れなのである。

◆マルクス主義における国家死滅論の無理

ちなみに、国家の消滅に関するマルクス主義の理論にあっては、社会に階級対立がなくなり社会に搾取する階級がなくなれば、国家も用がなくなり死滅するという結論であった。そこでは仮に、革命によって国家権力を握った労働者階級がそれまでの国家機構を解体したにしてもそれで国家がなくなるのではなく、常備軍その他それまでの国家機構を解体する代わりに、武装した人民による新たな国家機構を確立して資本家階級等の反乱を抑え、最終的には労働者階級も資本家階級もなくなり、つまりみんなが平等で階級のない社会に至って初めて、抑圧を本分とする国家機構が不必要になり、国家は役割を終えて自然に眠り込み、そして死滅するという想定であった。

だがしかしこれには、理論的にも現実的にも無理がある。というのはこの想定が、特定の限られた一つや二つの国家での出来事として完結するものであればまだしも、現実にはいずれの国家も多くの国家と関係し合って存立しているからである。仮にある一つの国家で革命が成功して労働者階級等が国家権力を握り、社会主義的政策を順調に推し進めて平等な社会実現に近づいたにしても、周りの国家がどうであるかによって、自動的に国家機構を解散し国家を消滅させるわけにはいかないからである。反乱は、国内からばかりでなく国外からも押し寄せて来る。そうなると少なくとも、押し寄せる国外勢力がなくなるまで、それに対抗する国家機構を必要とすることになる。

ということは、国家の消滅・死滅に関する問題は、一カ国や数カ国で想定され得る事柄ではなく、世界全体が、少なくとも多くの主要国が同様の革命により労働者階級が国家権力を握り、各国が揃って階級のない平等な社会になることを前提とする。つまり、一斉に全世界が社会主義・共産主義になるということである。しかしそれは無理な話である。歴史の現実は、ロシア革命後の国際情勢と社会主義革命の闘争がどのように推移したかを見れば、それは有り得ないことを教えている。それどころか、スターリン以降のソ連は、すでにまともな社会主義ではなくなっていたにしても、ますます警察力や軍事力に依存し抑圧機構強化へと走らざるを得なかった。さらには現在の中国にしても、資本家階級に対する抑えを利かせて平等社会（和諧）に向かっていると宣伝してはいるが、軍事力の分野では世界一を誇るアメリカと張り合うまでになり、国家権力が一層増強されて全国民を恐怖させている。つまり、階級のない平等な社会になれば国家の役割が終わり、国家機構は死滅するというマルクス主義の公式は、階級のない社会が世界各国で一斉に実現されるはずのないことを前提にしているゆえに空想的であり、すでにしてそれは破綻しているというべきである。

しかしこれらのことは逆に、現代において国家が役割を終えて政治の舞台から退場し、消滅するということはどういうことかということを、違った形で示唆するものとなっている。つまり、現時代のように国家が存立し、国家機構が強大化されていることが、人類社会の存続にとって非常に危険な障害となっており、国家の存立と国家の役割に引導を渡す時期が迫っていることを、諸処の事例が示すようになっているからである。それは、人間の住んでいる升《マス》がいっぱいになり、これ以上国家間の争いや競争等を通して破壊したり膨張したりして、地球に負荷をかけ続ける余裕がなくなっているゆえである。この全体的な限度を踏まえた視点から、今や強制的にでも国家の動きを抑制し、国家の役割を削減し、その無力化を図っていかなければならなくなっている。これがどう進められるかが重要である。

◆領土領海は〝地球からの借り物〟の観点で

中国の習近平主席は事あるごとに「核心的利益」という言葉を口にする。国家にとって絶対に譲れないもの、欠かせないものを意味することのようではあるが、これはまず国家というものが崇高にして侵すことのできない、神聖にして絶対のものという認識を前提とする。そしてもう一つの前提は、その核心の一つが領土領海だということになる。

しかしこうした認識は、マルクス主義やレーニン主義、そして社会主義とは無縁であるばかりでなく、著しく反するものである。そもそも国家は、それ自体少しも神聖なものではない。まして領土なるものは古来、人間が創り出し生み出したものというよりも、人間が占拠したことにより生じた、いわば大自然よりの借り物に過ぎない。その借り物を、社会が、国が、仮に管理し使用しているに過ぎない。それは特定のものの絶対的占有物でも、絶対的所有物でもないのである。ではいかなる事情で特定の国や特定の人間の所有となっているかといえば、現代においては売買等の取引を通じての関係者間の合意によってである。しかし古くは人間が未だ誰も手を付けていなかった土地に最初に住み、最初に使用・管理したことに由来する。さらに近代に入ってからは特に、先住民を駆逐して植民者が取り上げて手に入れたものが多くあり、かつまた国家間の戦争で勝ったり敗けたり、その度に領有が入れ替わって今日に至っているというケースである。

したがっていかなる領土・領海も、「我が国　古来のもの、固有のもの」といえるようなものが、あろうはずがない。それは先住民がそのまま脈々と引き継いで現在に至っている特定の大地は別として他の大半は、血みどろの、むごたらしい征服と被征服の戦闘の結果としてもたらされているに過ぎないのである。

このことはたとえば、日本が現在抱えている北方領土、すなわち国後、択捉、歯舞、色丹等の問題にしてもそうである。それは、ロシアにとってもそうであるかもしれないが、日本にとっても固有の領土といえるようなものではない。経緯の詳細は略するにしても、今から二百数十年も前の江戸幕府時代、幕府から派遣の探検隊等が島に渡り、そこで暮らしていたアイヌ人ら先住民族の平和な暮らしを奪い、奴隷のように働かせ、あるいは移住を強いるなどして手に入れたものであった。そして明治に至っての日露戦争や昭和の第二次世界大戦の結果により、千島列島やサハリン（樺太）を含め、日露間で取ったり取られたり、譲渡したり譲渡されたりして今日に至っている。したがってそこには、固有の領土といったにしても、いつのなにを基準にするかにより話が違ってくる。決して国威を懸け、国のメンツを懸けて争う類いのものではない。

尖閣諸島の領有をめぐる問題にしても同様である。尖閣諸島は沖縄県に属している。沖縄県の前身である琉球王国は、江戸時代以来薩摩藩の支配下にありながら他方で清国を宗主国とするなど複雑な両属関係にあった。それを日本は一八七二（明治五）年、琉球藩を置いて政府直属とし日本領とした。その後、一八七九（明治一二）年、琉球藩及び琉球王国を廃止して沖縄県とした。いわゆる琉球処分である。つまり、日本と中国のどちらに属するか曖昧であった琉球王国を、この時点で日本領としたのである。もしかすると琉球王国は、どちらにも属さず独立国になったかもしれないのである。

領土、領海をめぐる問題は、このように曖昧なものを有している。そこにはどちらが先か、どちらが勝ったか敗けたかなどの要素が絡み合っているからである。したがって現実には、現に管理している、つまり実効支配している者の立場を基本にし、それでなお残る問題については当事者間の交渉・協議に委ねる以外にないということであろう。

ちなみに、二十一世紀に入って中国が尖閣諸島（釣魚島）の領有権を強く主張し出したのには、尖閣の周辺海底に眠る貴重な資源の存在が知られるようになったからだとの説がある。しかしそれが事実であるにしても、ではその資源は果たして今日の時代に、領有権があるという理由で、自由に発掘・採取されてよいものかどうか。これは、日韓間で問題の竹島に関しても同様である。

というのはすでに触れているように、それが誰の責任かは措くとしても、人類社会はこの間、地球の許容限度いっぱいにまで膨れ上がり、しかも欲望赴くままの見境ない開発・改造で、自然に大きな損傷を与えてきた。それによる危機因子は、様々な領域に蓄積されており、深刻である。身近な例を挙げるなら、原発事故による放射能汚染がそうである。あるいは、シェールガス掘削のフラッキングでどれだけの大地が病んでいることか。そうした症例は、数限りがない。

したがって現代においては、見境のない採掘や開発は禁止されるべきである。海底資源等の発掘に関していえば、それはたとえ領海内であれ、領有権を盾になんでも掘削し収奪してよいということにはならない。海は、領海を越え、接続水域を越え、排他的経済水域を越えて、全世界の海洋に繋がっているのである。それはまた、回り回って大気にも影響する。したがって現代においては、大規模な発掘であればあるほど、当該国が自由・勝手にそれを為すのではなく、それなりの国際的機関の審査・承認を得て為すようでなければならない。むしろ、そうした国際的システムづくりの方が、当面の打開策として先決なのではないか。

ましてや領海を守るためと称して、はるか遠くの無人の島に工作物を築造するとか、あるいは多くの艦船を連ねて連日航行を繰り返すような行動は、そのことによるエネルギーの消費、海水汚染の問題を考えただけでも、決してよいことではない。

◆傷んだ地球を修理修繕する責任と義務

領土・領海が「地球からの借り物」という観点からすれば、その地球の傷みや汚れを修理修繕し、健康な状態に戻して借り主に返すのは、けだし当然である。誰に返すのか。それはもちろん地球に、である。それはまた、この地球を借り続ける後代の人間と、人間を含むあらゆる生物・無生物に、である。

よく、地球に優しい何々……という言葉を耳にする。乱暴な振る舞いよりは優しい振る舞いに越したことはない。だが現代においては、優しく接するだけでは済まなくなっている。それは、世界の平均気温が産業革命以前に比較して1・2度Cも上昇して気候危機を引き起こし、そのためにいろんな異変が頻発していることからも、見て取れるからである。こうしたことが人間によって、しかも僅かこの百年、否、数十年の経済活動等によってもたらされたということは、何とも形容し難い驚きである。というのは、「地質年代区分による地球の歴史のなかで現在は、今から一万一七〇〇年も前に終わった氷河期以降の、比較的穏やかな気候が続く間氷期（完新世）にある」（『広辞苑』）。そこではこれまで、地球の平均気温の変動幅が上下1度C程度に収まっていると見られていた。その穏やかな気候が続く一万年以上に及ぶ年月に対し、人間が百年にも足らない僅かの年月で一気に変えることになってしまった。地球によって生み出され、地球のお陰で発展繁栄してきた人間が、今や地球に大きな損傷を与える存在と化したということである。これは人類が責任をとらなければならない問題である。否応なしに地球を正しく管理するための、修理修繕の義務がある。

したがって単に、これ以上地球に負荷を懸けないようにする、だけでは済まない。化石燃料から自然エネルギーへの転換はもちろんだが、すでに懸けている負荷を出来るだけ軽減し、地球の損傷を修理修繕し、その健康回復に努めることである。産業経済はそのために大きく変わらなければならない。

たとえば失われた山林を豊かにするための植林・造林を、一大産業として世界的規模で推進することなども、その一つである。また、汚れている海水をいかに浄化し、海を豊かにしていくか。人口急増で食糧危機がより一層深刻化しているが、そうであればあるほど食料の確保は自給自足を基本とすべきである。なかでもその地域ならではの産業を大事にし、地産地消を主にすることは、地球が健康を取り戻す上でも有意義である。見境ない経済の自由化、あるいは自由貿易の促進は、そのための輸送に関わる費用が多大であるばかりでなく、各地域の特色ある産物の生産・消費を妨げ、自然のバランスを崩すことになる。

自然のシステムを乱すことになる。それは生物多様性の損傷をもたらすなど、目に見えない大きな価値の損失である。

したがって、たとえば二〇二一年四月の日米首脳会談でも出されたような、否、決まって近年日米首脳が口にする「自由で開かれたインド太平洋……」などというセリフは、あまりといえばあまりにも空疎である。単に空疎であるばかりでなく、本末転倒でさえある。たとえ広大無辺な大洋といえども、誰もが自由に、しかも勝手気儘に利用してよいというものではない。今や人類は海洋といえども正しくこれを管理する責任を有する。したがって「自由で開かれた……」とか「法の支配……」を強調する理由が、中国の東シナ海や南シナ海への進出を意識してのことであるならば、まさにそれは国家の問題であり、国家が何のためにこれを領有せんとしているのか、それは単に一国家の利益のためにか、それとも人間が海洋を正しく管理して管理責任を果たすためにか、それを問い詰めることこそ重要である。

国家はその点では今や全く時代遅れ、手かせ足かせである。人類社会全体が直面する危機克服にとっての最大の障害と化している。したがって、国家のしがらみを断ち切った大衆の危機意識により、これをどう克服するか、それが今後の焦点ではある。

◆日本外交はどうすれば建て直せるか

以上の問題からみれば格落ちする話ではあるが、現在、日本が抱える問題の一つは、国の外交が全く機能していないことにある。これは、正しい外交、正しい外政への転換が、正しい内政に通じると先に提言したことに鑑みれば、まことに由々しいことといわざるを得ない。

どうしてこうなのか。それは一口に言えば、自分の身にやましいものを抱えているがゆえであろう。それはもちろん、日本だけが抱えているということではない。多かれ少なかれすべての国がそうではある。ただ日本の場合特にそれが大きい。

その一つは、先の戦争で近隣諸国の人々に多大なる苦痛と迷惑を掛けたことに関する反省と償いが、未だ明確な形で終わっていないことにある。つまり我が国自身の歴史総括がなされていない。それは、今となっては触れられたくない古傷のようなものだが、しかし何かの折に触れられ、触れられないまでも古傷を抱えているがゆえの負い目と痛みを引き摺っているからである。そしてもう一つの負い目は、平和憲法を誇りとする国でありながら、その憲法の精神に徹するのではなく、核兵器の傘を始めとする日米安保に軸足を置いて平和を語ろうとする、この二枚舌ならぬ二重欺瞞を身に付けていることにある。これもいわば、国家としては大きな引け目であり、そのために率先して国際場裏で何かを為す意思が最初から萎えてしまい、能力も発揮されずじまいになっている。

かくしてたとえば、国際条約としての核兵器禁止条約には、「日本は核保有国と非保有国の橋渡しを通じて、国際社会をリードしたい」(二〇一八年八月六日、安倍晋三首相談)という理由で、参加拒否である。同条約は、二〇一七年三月から国連本部で制定に向け交渉が開始され、一九二の国連加盟国のうち一二四カ国が交渉会議に参加して協議し、同年七月に一二二カ国の賛成で採択された。しかし「唯一の被曝国」と枕詞になる日本が、

「核保有国と非保有国の橋渡しで世界をリード……」という何とも訳の分からない理由説明で未だに不参加であり、まさに日本外交は世界の笑いもの、世界の恥である。

あるいはまた、北朝鮮がミサイルを発射した、中国の艦船が領海内侵入を繰り返しているというようなときに、日本の総理大臣や外務大臣が決まって口にするのは、「断固抗議する」であり、さらには「関係国と緊密に連携して」とか、「日米両国が一体となって……」でしかない。

北朝鮮のミサイル発射や核実験に断固抗議したにしても、その北朝鮮は日本がアメリカの核兵器保有を支持し、その核の傘で守られていることを知っている。その日本に、抗議する権利のあるはずがないというのが、彼らの言い分であろう。まして北朝鮮からすれば、日本はかつて朝鮮半島を植民地支配した最大の加害国であり、その謝罪も賠償も受け取っていない、それなのに、拉致被害のみを問題にして制裁を科している、断固抗議したいのはこちらだと思っているかもしれない。

しかもその辺りの事情については実は、日本政府としても全く分からないというわけではないであろう。分かっているがゆえに気おくれし、真正面から向かって行こうとしない。そうかと思うと今度は、事態打開に向け前提条件なしにいつでも会談の用意があるなどと、まことしやかである。しかし仮にそうであっても、前提条件なしで始まる首脳会談などあるはずがない。何らかの要件、要求があるから会談に臨むわけであり、それもなしに会談するほど仲良しではないであろう。

関連してさらに言えば韓国の最高裁判所は先に、植民地支配下の戦時中に日本企業の徴用で働かされた元徴用工の訴えを取り上げて、日本企業に損害賠償を命じる判決を下した。このことが伝えられると日本政府はかんかんとなった。「かかる問題は、一九六五年六月締結の日韓基本条約と日韓請求権協定で解決済みである。そもそも（韓国の）国内法で主権国家（日本）を裁くことが出来ないのは、慣習国際法の主権免除原則に反するもので、かかる違法な裁判を許している韓国政府こそ問題ではないか。」として、逆に韓国を非難し、抗議している。まさに硬直した日本外交の面目躍如ではある。

ただし、である。韓国高裁の判決理由は、日韓基本条約や日韓請求権協定がどういうものであるかは重々承知の上で、「これらの条約・協定は、両国間の財政的、民事的債権・債務関係を解決したものであって、植民地支配の不法性を取り上げているものではない。強制動員被害の法的賠償（の存在）を否定している。ゆえにこの問題は未解決のままである。」と、基本条約や請求権協定では対象にしていない問題だとの判断である。さてそこで問われるのは、先の条約・協定が、こうした問題をもカバーしているのかいないのかであり、それをもう一度協議することが急務であろう。いかなる条約といえども、一旦締結されてしまえば改定交渉の余地がないという訳では、ないはずである。

むしろ問題は、一九六五年締結の条約・協定が、本当に日本の植民地支配の反省と謝罪を踏まえて締結されているのかどうかである。事実は、そのような文脈が見あたらないのが瑕疵であり、弱みといえば弱みである。

総じて、である。先に触れた中国艦船の領海侵入に対する抗議にしてもそうだが、あるいは幾つかの人権問題にしても、ただ抗議の言葉を伝達するだけでは意味を有さない。むしろ会談の場を設けて、率直にかつ粘り強く真意を質すべきである。もちろん質したからといってそれに相手がキチンと答えるとは思えない。思えないにしても、逆に相手側の主張をどんどん突き詰めてみて、究極それが、論理的にどこまで耐えうるものであり、常識的にも世界全体に通用することなのかそうでないのか、否世界の人々の平和や幸せに寄与することになるのか、それともその逆になるのかを明らかにしていくべきであろう。その結果、相手側の主張に一理も二理もあるということになるのなら、こちら側が引き下がればよい。しかし理不尽なことが明らかになれば、それが相手側を転換させるプレッシャーとして作用するであろう。

問題は、そのような大掛かりで全知全能を傾けた会談と議論をする資質と能力が、日本政府に有るかどうかである。これまで日本の外交は、経済的にも軍事的にも政治的にも、世界的に圧倒的な力を有するアメリカ外交の一部として機能する存在であった。そのしがらみから脱け出すのは容易でない。しかし容易ではないにしても、日本なりに腰を据えて全方位外交の中心としての展望を構築する必要がある。それには何よりも邪念を捨て、損得勘定を脇に置いて、全体のために動こうとする姿勢が不可欠である。つまり、己を空《むな》しゅうするばかりでなく、己をまず清くし、己を正しくすることである。

その道標は憲法である。現憲法が充分であるかどうかはともかくとして、少なくともその精神を忠実に実践していくならば、全世界が耳を傾け注目するような成果を挙げられるのは、間違いない。

おわりに

人間が何らかの社会的改革の取り組みをなそうとするとき、その問題に関わる罪の意識を有さず、自責の念がなくとも、十分にそれを為すことができるか。真に責任ある行動をとることができるか。——本書執筆に当たっての密かなるテーマは、ある種、倫理的領域にも関連する、このような漠とした問題意識であった。

つまり一方では、地球温暖化による異常気象で、人類全体の生存が危ぶまれる状態になっており、みなで一致協力して取り組まなければならないという現実がある。それは、先進国も途上国も、富裕層も貧困層も、老いも若きも子供も、である。みなでそれぞれ出来る限り力を尽くさなければ、達成できないテーマだからである。

だが、だからと言ってそれが地球温暖化をもたらすことになった人間の責任の取り方かというと、どうも違和感がある。もちろんそういう掛け声やそういう危機感だけで、達成できる代物でないことは、これまたはっきりしている。はっきりはしているが、その姿勢そのものが何ともよくない。何かを誤魔化し、何かをチャラにしようとしているのではないかという気がする。極論すれば、仮にそういう形で地球温暖化が阻止でき、人類が生き延びられたとしても、その人類にどれだけ生き延びる価値とその資格があるのか疑いたくなるからである。

つまり、人間と地球との図式的関係に限ってみるならば、温暖化をもたらしたのは人間なのだから、その人間が努力して温暖化のない地球にすれば、それで責任をとったといえるかもしれない。だが、それだけでは人間社会そのものが抱えている問題を解決したことにはならない。もっと突き詰めていえば、ここまでの歴史過程における人間社会の質の変化、社会の劣化や退廃というような問題はどうなったのか、である。もしもそうした問題がなお残るとするとき、仮に温暖化防止をなし得たにしても、それで社会が健全になったとはいえないからである。

以上の問題意識からするとき、確かに地球温暖化は猶予のない深刻な危機である。だが併せて深刻な危機は、そのような事態をもたらすことになった人間の歴史である。本書はその関係を最大限明らかにしようとして、この百年の歴史に焦点を当ててきた。それが、今では言葉として使用することさえも憚られる社会主義であり、マルクス主義であり、スターリン主義にまつわる政治の問題であり、資本主義と社会主義の相互依存をめぐる問題、中でも冷戦時代の総括を徹底することであった。

時あたかも、アメリカのバイデン政権発足以降、温室効果ガス排出削減が最大の目玉政策とされ、それに連れられてか世界各国首脳が我も我もと温室効果ガス削減数値を気前よく打ち出している。大いに結構ではある。中でもつい昨日まで、人権剝奪や海洋進出やサイバー攻撃等の問題をめぐって鋭く(?)対立の米中、米ソが、「温暖化問題では協力できる」として歩調を合わせつつあるのには、当然といえば当然の成り行きだが、「またか!」という気がしないでもない。「惨事便乗型資本主義」(ナオミ・クライン)ではないが、地球温暖化問題が便乗の対象とされるようでは、世も末だからである。

やはりこれは、温暖化問題がいかに重要であるとはいえ、それはこの間の歴史がもたらした恐るべき政治の欺瞞と退廃の結果であると捉えて、その根源に迫るが如かず、である。このようになってしまった歴史の罪、社会の罪をどう断罪するか。その断罪の闘いをバネにすることなしには、真の責任ある行動にはならないのではないか。

とはいえども本書は、元々が浅学非才、加えて寄る年波のなかでの作であり、多くの点で不行き届きの誹りを免れないことも確かである。そういう意味ではまことに恐縮の極みではあるが、にもかかわらず少しでも多くの方がご一読され、何かを感じとって頂けるとするならば、これに過ぎたる喜びはない。

二〇二一年四月下旬、三度目の緊急事態宣言で静まり返る日に

著者記す

参考文献

石弘之『感染症の世界史』ＫＡＤＯＫＡＷＡ（角川ソフィア文庫）２０２０年
パオロ・ジョルダーノ、飯田亮介訳『コロナの時代の僕ら』早川書房　２０２０年
福岡伸一『生物と無生物のあいだ』講談社　２０２０年
岡田晴恵『怖くて眠れなくなる感染症』ＰＨＰエディターズ・グループ　２０２０年
岡田晴恵『どうする!?　新型コロナ』岩波書店　２０２０年
飯島渉『感染症の中国史』中央公論新社　２０２０年
小松左京『復活の日』ＫＡＤＯＫＡＷＡ（角川文庫）２０２０年
霧村悠康『感染爆発』二見書房　２０１０年
高嶋哲夫『首都感染』講談社　２０２０年
カミュ、宮崎嶺雄訳『ペスト』新潮社　２０２０年
フランシス・フクヤマ、会田弘継訳『政治の起源（上）』講談社　２０１３年
金子勝『平成経済　衰退の本質』岩波書店　２０１９年
広井良典『ポスト資本主義』岩波書店　２０２０年

マルクス・ガブリエル／マイケル・ハート／ポール・メイソン／斎藤幸平編『未来への大分岐』集英社　２０１９年
村岡到編著『社会主義像の新探求』ロゴス　２０１９年
伊藤周平「可視化された医療崩壊」（『世界』№９３４）岩波書店　２０２０年
堤未果／中島岳志／大澤真幸／高橋源一郎『支配の構造』ＳＢクリエイティブ　２０１９年
リチャードＧ・ウィルキンソン、池本幸生／片岡洋子／末原睦美訳『格差社会の衝撃』書籍工房早山　２００９年
佐藤美由紀『世界でもっとも貧しい大統領ホセ・ムヒカの言葉』双葉社　２０２０年
アル・ゴア、枝廣淳子訳『不都合な真実』ランダムハウス講談社　２００７年
ＩＰＣＣ「第五次評価報告書の概要――第一作業部会（自然科学的根拠）」環境省　２０１４年
アイザック・ドイッチャー、山西英一訳『追放された予言者・トロツキー』新潮社　１９６４年
The Commission of Inquiry into the Charges Made against Leon Trotsky in the Moscow Trials編著、梓澤登訳『トロツキーは無罪だ！――モスクワ裁判〈検証の記録〉』現代書館　２００９年
レオン・トロツキー、山西英一訳『裏切られた革命』論争社　１９６１年
レオン・トロツキー原著、山西英一訳『次は何か？――ファシズム論』創文社　１９５２年

マルクス＝エンゲルス、マルクス＝レーニン主義研究所訳『共産党宣言・共産主義の原理』大月書店　1952年
フリードリヒ・エンゲルス、大内兵衛訳『空想より科学へ』岩波書店　1961年
レーニン、平沢三郎／堀江邑一訳『国家と革命』大月書店　1958年
『ソヴェト大百科事典』相田重夫／加藤九祚訳「第二次世界大戦」青木書店　1955年
矢野恒太記念会編集・発行『世界国勢図会』2020年
江口朴郎責任編集『世界の歴史⑭――第一次大戦後の世界』中央公論社　1979年
村瀬興雄責任編集『世界の歴史⑮――ファシズムと第二次大戦』中央公論社　1978年
木村靖二／柴宜弘／長沼秀世『世界の歴史㉖――世界大戦と現代文化の開幕』中央公論社　1997年
油井大三郎／古田元夫『世界の歴史㉘――第二次世界大戦から米ソ対立へ』中央公論社　1998年
猪木武徳／高橋進『世界の歴史㉙――冷戦と経済繁栄』中央公論新社　1999年
ハロルド・R・アイザックス（トロツキー序言）、鹿島宗二郎訳『中国革命の悲劇（上・下）』至誠堂　1967年
ジョン・リード、原光雄訳『世界をゆるがした十日間（上・下）』岩波書店　1961年
フルシチョフ、西原五十七訳『十月革命の四十周年（附＝隠蔽されたレーニンの遺書・フルシチョフ

秘密報告全文)』日月社　1958年
K・テイラク、トロツキー研究会訳『国際共産主義運動略史』社会経済研究会　1961年
安倍晋三『新しい国へ――美しい国へ　完全版』文藝春秋　2013年
奈良本辰也『吉田松陰著作選』講談社　2014年
鈴木荘一『明治維新の正体』毎日ワンズ　2019年
原田伊織『明治維新という過ち〔改訂増補版〕』毎日ワンズ　2017年
大河内直彦『地球の履歴書』新潮社　2016年
寺島実郎『大中華圏――ネットワーク型世界観から中国の本質に迫る』NHK出版　2012年
興梠一郎『中国　目覚めた民衆』NHK出版　2013年
林望『習近平の中国』岩波書店　2017年
岡本隆司『「中国」の形成――現代への展望　シリーズ中国の歴史⑤』岩波書店　2020年
戸部良一／寺本義也／鎌田伸一／杉之尾孝生／村井友秀／野中郁次郎『失敗の本質――日本軍の組織論的研究』中央公論新社　2020年
毎日新聞「幻の科学技術立国」取材班『誰が科学を殺すのか』毎日新聞出版　2019年

高橋　彬（たかはし　さかり）

1935年　岩手県に生まれる
1963年　法政大学第二経済学部卒業

著書に『現代社会批判』（幻冬舎　2019年）、『安倍政権　総括』（牧歌舎　2017年）、『贖罪の歴史時代』（文芸社　2012年）、『痛恨の歴史時代』（同　2007年）などあり。

何が世界を狂わせたか

2021年９月28日　初版第１刷発行

著　　者　高橋　彬
発 行 者　中田典昭
発 行 所　東京図書出版
発行発売　株式会社 リフレ出版
〒113-0021　東京都文京区本駒込 3-10-4
電話（03）3823-9171　FAX 0120-41-8080
印　　刷　株式会社 ブレイン

ISBN978-4-86641-454-6 C0095
Printed in Japan 2021